経験と教育

ジョン・デューイ
市村尚久 訳

目次

著者のまえがき……7
編集者のはしがき……11
第一章　伝統的教育対進歩主義教育……16
第二章　経験についての理論の必要……29
第三章　経験の基準……42
第四章　社会的統制……77
第五章　自由の本性……97

第六章　目的の意味 …… 105
第七章　教材の進歩主義的組織化 …… 116
第八章　経験――教育の手段と目的 …… 146
訳者あとがき …… 150

経験と教育

著者のまえがき

すべての社会運動には、知的に対立する論争がつきものである。教育のような社会的に重要な関心事が、実践的にも理論的にも論争の舞台にあがらないようでは、それは教育にとって健全な兆《きざ》しにはならない。しかし、理論にとって、少なくとも教育哲学を形成する理論にとっては、実践上の対立やその対立レベルでおこなわれる論争だけでは、ただ問題を投げかけているにすぎないことになる。そうした対立が起こる原因を先ず突き止めなければならない。だからといって、どちらか一方の側に加担するようなことがあってはならない。論争する両派の実践と理念を象徴する主義主張よりも、はるかに奥深く、また一段と包括的な次元から生じる教育の実施上の作業計画を提示することこそ、教育理論を知的に構成するために課せられた役割なのである。

このように教育哲学の役割を定式化するからといって、そのことは教育の実施上の作業計画によって、対立する思想上の学派間の妥協をはかることが企てられてよいということを意味しない。そのことはまた、中庸を見いだすような試みを意味するものでもなく、さらにまた、あらゆる学派から、あれこれと選び出された論点を折衷的に結合するようなことを意味するものでもない。そこで、教育哲学の役割を定式化することが緊要な課題になってくる。この定式化は、教育実践の新しい様式を導き出すような、新しく秩序立てられた概念を導入することが必要不可欠であることを意味する。このような理由によって、伝統や習慣を見離すようなことがあれば即刻、教育哲学を発展させることは、はなはだ困難なことになる。また、このような理由によって、思想上新しい体制のうえに基礎をおく学校の運営は、踏みならされた道を歩むような学校の経営よりは、はるかに困難なことである。それゆえ、思想や活動についての新しい体制によって指導されたあらゆる運動は、遅かれ早かれ、過去にみられたように、簡潔で、また一段と根本的な思想や実践を表現するものへと回帰するよう、呼びかけているのである。そのことは、古代ギリシアや中世の諸原理を、現時の教育において復活させようとする試みに例証されているのと同じである。

この小著を結ぶに当たって、私が示唆してきたことは、教育における新しい運動の将来を見据えている人たちは、新しい社会体制が求められているという現在の必要性をよくわきまえているので、教育について、つぎのように考えるべきであるということにほかならない。そのように新運動を推進している人たちは、たとえ「進歩主義」という主義に立っていたとしても、教育については、なんらかの主義という見地からではなく、「教育」それ自体の側面から再考しなければならない、と。このように私が教育を見直すことについて示唆したのも、すでに述べてきたような文脈においてである。というのも、どのような運動でも、それ自体の立場からではなく、ある「主義」という見地から考えたり行動したりするようでは、他の「主義」に対しいちじるしく反動的な立場をとりがちになり、結局は知らず知らずのうちに、他の「主義」によって支配されることになるからである。なぜなら、そのような運動は、現実の必要性や問題や可能性についての、総合的で建設的な調査によるのではなく、他の主義に対する反動によって、その原理を形成することになるからである。この小著で示された論考が、どのような価値をもつにせよ、その価値は、「教育」問題を考察するうえでの適切な準拠枠を示唆し、その教育問題の争点がいかに大きく、また奥深いものであるかについて、注意を喚起したいという目論みにある。

ジョン・デューイ

編集者のはしがき

この『経験と教育』の刊行で、カッパ・デルタ・パイ講座叢書の最初の十年分が完了する。したがって、この一冊は、当協会にとって、最初でまた十人目の講師としてのデューイ博士の名誉をたたえる記念出版でもある。この『経験と教育』は、デューイの他の著作にくらべると、短目《みじかめ》なものであるとはいえ、教育哲学に対して主要な貢献をしている著作である。アメリカ教育の力量を痛ましくも四散させ、対立する忠誠心の一方を相争って表わそうとする標語を称揚するだけでは、アメリカ教育の混迷は拡大の一途を辿ることになる。このような状況のまっただなかに、この小著は登場した。したがって、この本によってはじめて、アメリカ教育の統一に向かっての明白で確実な指導が提供されることが期待されるのである。「新」教育に携わる教師たちは、デューイ博士の教えを公然と適用し、経験、実験、目的ある学習、自由、その他周知の「進歩主義教育」に関する概念を強調し使っているだけに、改めてデューイ博士自身が、このように流行している教育実践に対し、どのような反応を示すのか、そのことについて知ることはまことに適切なことである。そこで、カッパ・デルタ・パイ協会の理事会は、その点についてはっきりと分からせるため、またそのためになされる努力の結集である力作を求めて、デューイ博士につぎのようなことを依頼した。それは、現在二つの陣営に分裂させられ、社会変化に運を任せては当惑している国民を、アメリカ教育の全力をあげて指導していく必要があるということについてである。このようなことが求められている時点で、改めて、アメリカ教育を一挙に弱体化させている未解決な問題を議題にのせ、論述していただくことであった。

『経験と教育』は、伝統的および進歩主義的教育の両方についての明快な分析である。それぞれの教育にみられる根本的な欠陥が、この本で記述されている。伝統的な学校が、その教育内容として教科あるいは文化遺産に依存しているのに対して、「新しい」学校では学習者の衝動や興味や変化する社会の現行問題を取り上げては、それらを称揚してきた。これら対《つい》として掲げられる価値は、いずれも一方だけでは十分ではない。両方とも非常に重要なものである。健全な教育経験には、何にもまして学習者と学習されたものとの間の連続性と相互作用が含まれているのである。伝統的なカリキュラムには、固定した統制と訓練が必然的に伴われている。そのことは、疑いのないことである。それら統制と訓練は、子どもの本性である能力と興味を無視することになる。しかしながら、今日、この型の学校教育に対する反動が、他方の極端——不完全なカリキュラム、行き過ぎた個人主義、およびはきちがえた自由を標榜《ひょうぼう》する自発性——をしばしば助長しているのである。デューイ博士は、旧《ふる》い教育も適切なものでなければ、新しい教育もまた適切なものでない、と主張している。新旧いずれの教育も入念に発展させた経験哲学の原理を適用していないため、両者は教育的にみて誤りである。この本では、多くのページが経験と経験の教育との関係の意味についての説明に費やされている。

　デューイ博士は、分派を標示しその延命をはかろうとする標語に難色を示し、教育は科学的方法であると解釈する。その科学的方法によって、人は世界を研究し、意味や価値についての知識を累積的に習得する。しかもそれらの成果は、批判的な研究や知的な生活の資料になっているのである。科学的探究の意図するところは、その探究によって更なる研究が導き出される際、その手段として理解されなければならない知識の実体に迫っていくことである。したがって、科学者は、自分の研究について、見いだされたままの問題の指摘にとどまらないで、その問題の性質、時代性、条件、意義といった更なる段階の研究を続行するのである。このような目的からすると、科学者は自分の研究に関連して蓄えられた知識について、再検討することが求められているのである。その結果、教育は教科を進歩主義的に組織化することに従事しなければならない。というのは、このように進歩主義的に組織化された教科の理解を深めることが、とりもなおさず、そこに生起する問題の意味や重要性を解明する手がかりになるからである。科学的研究は、経験の領域へと導かれ、また経験の領域を拡大する。しかもこの種の経験は、意義深い知識の連続に立脚するものであるが、その立脚する度合いに応じてのみ、またこの種の知識が学習者の見解や態度や熟練を修正したり、あるいは「調整する」程度に応じてはじめて、教育的なものであると言えるのである。そこで、真の学習の場は、縦と横の次元から成り立っているのである。この学習の場はまた、歴史的であり社会的でもある。それには、秩序があり、それはまた動的なものでもある。

この本は魅力あるページであふれており、今の時代に信頼に価する指導を真剣に求めている教育者や教師を待っているのである。『経験と教育』は、教育者や教師が団結して、アメリカの教育システムを発展させることのできる確実な学説上の基礎を提供する。アメリカの教育システムは、経験が生じるあるゆる源泉を重視し、経験と教育に関する実際的で積極的な哲学に立脚するものであり、消極的な哲学に立脚するものではない。このような積極的な哲学に導かれてはじめて、アメリカの教育者たちは、論争好きを表わす自分たちのラベルを抹消し、堅実な社会的地位を占める勤労者として、より素晴らしい明日のために働くことであろう。

カッパ・デルタ・パイ出版社編集長
アルフレッド・L・ホール-クェスト

第一章　伝統的教育対進歩主義教育

人間というものは、極端な対立をもって、物事を考えがちである。このような考え方は、中間的なものがあるという可能性を一切認めようとはせずに、「あれかこれか」という見地からの信念が定式化されたものである。そのように両極端にあるものは、実施することができないものであると認めざるをえない。その場合ですらも、それは理論的には正しいが、ただそれが実践的な問題になると、いろいろと事情が許さないので、あえて妥協せざるをえないと考えがちになるのである。教育哲学も例外ではない。教育理論の歴史は、教育は内部からの発達であるという考え方と、外部からの形成であるという考え方との間にみられる対立によって特徴づけられている。またその歴史は、教育は自然的な素質を基礎におくという考え方と、教育は自然の性向を克服し、その代わりに外部からの圧力によって習得された習慣に置き替えられる過程である、という考え方との間の対立によって特徴づけられている。

現在のところ、この対立は、学校での実践的な事柄に関するかぎり、伝統的教育と進歩主義教育とを対照する形式をもって説明されがちである。もし前者の基礎となっている考え方が、正確な言明を必要とするという制約を受けずに、大まかに定式化されるとすれば、その考え方はおよそつぎのようになるだろう。教育における教材は、過去につくり出された知識や技能から構成される集合体から成る。したがって、学校の主要な任務は、それら過去からの知識や技能を新しい世代に伝達することにある。過去においてもまた、行為の規準や規則は発展してきたものである。したがって、そこでの道徳的訓練は、それら規準や規則に適合するように、行為についての習慣を形成することによって成り立っていたのである。結局、学校組織の一般的な類型というものは（生徒相互間および生徒と教師間の関係を意味するのであるが）、他の社会制度から截然《せつぜん》と区別される一種の制度を構成することになる。学校の普通の教室、時間割、学級分け、試験・進級計画、学校秩序に関する規則といったものを想像していただきたい。そうすれば「組織の類型」なるものが何であるのか、その意味するものが把握されるだろう。このように私は考えているのである。そこで、このような学校での場景を家庭でおこなわれていることと対照させてみるならば、一種の制度としての学校が、他のどのような社会組織ともいかに判然と区別されているものであるかが、わかっていただけるであろう。

すでに述べてきたような三つの特徴によって、教授および訓練の目的と方法が決定される。教育の主要な目標や目的は、教授することにさいしての教材を包含している知識の組織化された統一体と、あらかじめ用意された熟練様式を子どもたちに習得させることによって、子どもたちに対する未来の責任と生活上の成功を準備してやることにほかならない。教材も正しい行為の規準と同様に、過去から手渡されるものであるから、生徒の学習態度は、概しておとなしく受け身で従順でなければならないことになる。書物とりわけ教科書は、過去の伝承や知恵を代表する主要なものである。他方、教師は、生徒を過去から伝わる教材に効率よく結びつかせるための代理人であるにすぎない。教師は、知識や技能が伝達され、また行為の規則が強要されるさいの仲介者なのである。

私はこのように述べてきたが、そのことの根底にある哲学を批判することを目的にして、以上のように簡潔な要約をしたのではない。新教育とか進歩主義教育と呼ばれるものの発生は、それ自体が伝統的教育に対する不満の所産である。それは、事実上、後者の伝統的教育に対する批判でもある。その批判の意味を明示すると、およそ以下のように解釈することができるだろう。伝統的教育を図式化すると、その本質は上からの、また外部からの罰としての課題を押しつけるということになる。それは成熟に向かってゆっくりと成長しつつあるにすぎないものに対して、おとなの行為規準と教材と方法とを押しつけていくことになるのである。その間のギャップはあまりにも大きいので、そこに要求されている教材と学習や方法は、子どもたちが現にもっている能力とは無縁なものである。それらは幼い学習者たちが、すでに所有している経験の範囲を越えているのである。したがって、たとえ心あるすぐれた教師が、押しつけのもつ冷酷な特徴をやわらげようとして、それを覆い隠す技法を工夫したところで、やはり相変わらず押しつけはおこなわれているにちがいないのである。

しかし、成熟者あるいは成人の所産と、年少者の経験や能力との間にみられる隔たりは、あまりにも広く大きなものである。その理由は、生徒に教えられるものが次々と増加し展開している状況そのものが、生徒が教えられるものに積極的に参加することを許さないほど、教えられるものと、学ぶものとの隔たりが広く大きすぎるからである。そこにはあたかも、かの六百騎の進撃の役割〔訳注：テニスンの軽騎隊の進撃の詩からの比喩で、六百人から成る軽騎兵隊の任務は、突撃して死ぬことにあった〕が、「為《な》して死ぬべきこと」であったように生徒たちの役割は「為《な》すべきことは学ぶべきこと」であるというのである。ここに言われている学ぶということとは、すでに書物や年長者の頭のなかに組み込まれているものを習得することにほかならないのである。さらに教えられるものは、本質的には静的なものであると考えられている。教えられるものは完成された所産として教えられ、教えられるものが最初に構築されるに至った筋道や、あるいは間違いなく未来に起こるであろう変化については、いささかも考慮されていないのである。未来はその大部分が過去と非常によく似たものであるとみなされるがゆえに、教えられるものは社会の文化的な所産にほかならない。この教えられるものは、変化は規則であって例外ではないとする社会において、教育的な糧《かて》として用いられるのである。

教育哲学を新しい教育の実践のなかで暗黙に定式化しようと試みるなら、現存する多様な進歩主義学校のなかに、一定の共通原理を発見することができるように思われる。上から教え込むことは、個性の表現と育成とを阻止することになる。外部からの訓練は、自由な活動を阻止することになる。教科書や教師からの学習は、経験をとおしての学習に対立することになる。ドリルにより隔離された技能や技術の習得は、直接に生き生きとした訴えにより目的を達成するための手段としての技能や技術を習得することに対立することになる。多かれ少なかれ、遠い未来のための準備は、現在の生活における機会をどこまでも大切にしようとすることに対立する。静的な教育目的や教材に対しては、変化しつつある世界を知り、それになじむことが対立するのである。

さて、あらゆる原理は、それ自体が抽象的なものである。あらゆる原理は、その原理の適用からもたらされる成果においてのみ具体的なものになる。そこに提示される原理は、極めて基本的で高遠なものであるから、その原理が学校や家庭において実践に移されるさい、何事もその原理についてなされる解釈いかんにかかっているのである。この章の初めのところで、「あれかこれか」という哲学の問題点に言及したが、そのことが殊のほか適切な意味をもってくるのは、まさにこの点においてである。つまり原理の実践にさいしてのその原理の解釈のあり方という要点においてである。新しい教育についての一般的な哲学は、それ自体としては十全なものであろう。だが、抽象的な原理にみられる相違は、そこに含まれている道徳的および知的な好みが、実践のなかで達成されるであろうが、その達成の仕方までは決定しないであろう。新しい運動には、それが押しのけ取って代わろうとしているものがもっている目的や方法を拒絶しようとすると、そこには常に危険が伴う。つまり新運動の原理を積極的にまた建設的にではなく、むしろ消極的にしか発展させないという危険が常にみられるというのである。したがって、新しい運動の行く手において、その実践上の道しるべは、その運動それ自体の哲学の構成上の展開から得られるのではない。それどころか、拒否されるものから、新しい運動の実践上の手がかりが得られるのである。

一段と新しい哲学を根本的に統一することは、実際の経験と教育の過程との間には、親密で必然的な関係があるという考え方のなかに見いだされるのである。私はこのような考え方をしているのである。このことが真実であるならば、新しい哲学それ自体の基礎的な理念の積極的で構成的な発展は、経験に関する正しい考え方をもつことに依存しているということになる。たとえば、組織化された教材の問題――これについては後ほど詳しく論じられるであろう――を取り上げてみよう。進歩主義教育のかかえる問題は、つぎのように列挙されるであろう。教材および経験の内部の組織の位置づけと意味はどのようなものであるのか。教材はどのように機能するのか。経験の内容を進歩主義的組織化へと向かわせるが、その経験に本来的に含まれている何かがあるのか。経験の素材が進歩主義的に組織化されないとなると、どのような結末になるのか。拒絶や全面的対立を基盤として展開される哲学は、以上の列挙したような疑問を無視することであろう。旧教育は既成の組織にその基礎が置かれている。したがって、そういった既成の組織原理をまったく拒絶さえすれば、それで十分満足であると考えてしまうと、その組織原理が経験の基礎のうえに意味しているものや、そのような原理がどのようにして獲得されたものであるかについて見つけ出そうとする努力はしないですむことになる。われわれは、新教育と旧教育との相違点すべてにわたって検討し尽くしていくなら、同じような結論に到達するであろう。外部からの統制を拒否するというのなら、経験の内部に統制の要素を見いだすことになるという問題が起こってくる。外的権威を拒否したからといって、すべての権威が拒否されたことにはならない。むしろより有効な権威の源泉を丹念に調べ突き止める必要に迫られることになる。旧教育が成熟したおとなの知識や方法、そして行動規範を年少者に押しつけるからといって、その旧教育が「あれかこれか」という極端な哲学に準拠する場合は別として、成人の知識や技能は未成熟な年少者の経験に対して、指導的な価値をもたないということにはならない。それどころか、旧教育とは正反対に、個人的経験のうえに教育を基礎づけると、これまで伝統的学校において見られたものよりは、はるかによく成熟者と未成熟者との間に親密な接触がみられることになるというのである。したがって、そのような接触は稀薄になるどころか、より多くの他者によって指導されることになるので、いっそう親密になるのである。そこで問題になることは、どのようにすれば、このような親密な接触が、個人的経験をとおして、学ぶという原理を侵すことなく確立されうるのか、ということである。この問題に対する解決には、個人的経験の仕組みのなかで作動している社会的要因についての十分に考慮された哲学が、必要とされるのである。

これまで述べてきた所見は、新教育の一般的な原理それ自体だけでは、進歩主義学校における現実的な、あるいは実践的な運営や経営上の問題を何ひとつ解決しないということを表示しているのである。むしろ新教育の原理は、経験に関する新しい哲学の基礎のうえに解決されるべき新しい問題を提示するのである。この新しい問題は、旧教育の理念と実践を拒否し、極端に対立している一方の側に走ればそれで十分満足するものであると思い込んでしまうようでは、その問題は解決されないどころか、認識すらされないのである。ところが、新しい学校の大半が、学習の組織化された教材を、ほとんどあるいはまったく作ろうとはしない。このように私が言うことの意味を的確に、あなた方読者は察知されるにちがいない。そのように私は信じている。つまり、新しい学校では、もし成人による指示や指導があれば、それらがどのような形式のものであっても、それらは生徒個人の自由を侵害するかのように解されるのである。また、教育は現在および将来に関与すべきであるという考え方からして、新しい学校では、過去の知識に精通していたところで、その教育上の役割はほとんど、いやまったく果たしていないことを意味するかのように思われている。このように私が言うのは、その意味するところを読者には分かってもらえるものと確信しているからである。これら教育上の難点を誇張するものではないが、少なくともそれら難点は、経験の理論とその教育的可能性の上に設定される目的や方法や教材の積極的かつ建設的な発展によって説明されるものではなかった。むしろそれら難点は、教育上消極的にすすめられている理論や実践が、あるいは教育上一般に通用してきたものに反発してすすめられてきた理論や実践が、どのような意味をもつのかを説明するものであった。

自由という理念に基礎をおくべきであると自認する教育哲学も、それに反対する伝統的教育が、かつて常に独断的であったことに劣らず、自由な教育哲学もまた独断的なものになりうる。このように言っても言い過ぎではないだろう。というのは、どのような理論もまた実践も、それ自体の基本原理の批判的検討を基礎に置かないようでは、それは独断に陥るからである。新しい教育は学習者の自由を強調するものだ、と言う。そのことはそれで結構なことである。だが、そこには一つの問題が提起されるのである。自由が意味するものとは何か。さらに自由の実現可能な条件とは何か。伝統的学校では、極めて普通のこととされた外部からの押しつけというものは、年少者の知的・道徳的発達を促進するというよりは、むしろそれを制限したと言わざるをえない。再び、それで結構である、と。このように弱点が深刻に認識されてくると、一つの問題が提起されてくる。それは、未成熟な子どもたちの教育的な発達を促進するに当たって、教師および書物の役割はまさに何であるのかという問いである。伝統的教育が学習のための教材として、あまりにも過去に拘泥し、現在や未来の問題を取り扱うには、ほとんど役に立たないような事実や理念を用いたことを認めるとしよう。それも結構なことであろう。そこでわれわれは今や、過去の業績と現在の問題との間にある経験の内部に実際に存在する関連性を発見するという問題にゆきつくのである。われわれは過去を知ることが、どのようにして未来を効果的に取り扱う点で、有力な道具に転換されうるのか、それについて確かめなければならない。こういう問題にわれわれはぶつかるのである。われわれは、教育の目的としての過去の知識を拒絶することもできるだろう。そのことによって、過去の知識の手段としての重要性をひたすら強調することもよいであろう。われわれはそのようにするとき、教育の歴史において、新しい問題に出会うのである。すなわち、そのことは、どうすれば年少者は、過去の知識が現在の生活を理解するうえでの仲介者になるような仕方で、過去を親しく知るようになるだろうか、という問題である。

第二章　経験についての理論の必要

端的に言って、私が考え出し主張している論点は、伝統的な哲学や実践が拒絶されるとなると、新しいタイプの教育を信じている人たちに、教育上新しいタイプの難問が投げかけられてくるということである。われわれはこのような事実を認識するまでは、つまりわれわれが旧教育から離脱したところで問題の解決にはならないことをしっかりとわきまえるまでは、われわれは無目的に、また混迷のうちに活動するほかはない。したがって、以下に述べることは、新しい教育が直面する主要問題を指摘し、その解決が求められるべき主要な方向を示唆することである。あらゆる不確実性のさなかに、一つの永遠の準拠枠があってしかるべきであると、私は思っている。すなわち、教育と個人的経験の間にみられる有機的関連があるということを、あるいは教育の新しい哲学が、ある種の経験的、実験的な哲学に関わっているということを、私は想定するのである。しかし、経験および実験というものは説明を要しない、つまり自明の思考様式ではない。むしろ経験や実験の意味するところは、探究されるべき問題の一部なのである。経験主義の意味を知るために、われわれは経験とは何であるかについて理解する必要がある。

真実の教育はすべて、経験をとおして生じるという信念があるが、そのことはすべての経験が本当に教育的なもので、またすべての経験は同等なものであるということを意味するものではない。経験と教育は、相互に直接的な関係にあるのでも、また同等なものでもありえない。というのは、教育的ではない経験だっていくらでもあるからである。どのような経験も、つぎに展開してくる更なる経験の成長を阻止したり歪めたりするような影響をもたらすようでは、それは非教育的なものであるといわざるをえない。ある経験は感覚を伴わないものであるかもしれない。そのような経験は、感受性を欠落させ、物事に反応しない状況を生み出すかもしれない。そのようなときには、われわれが未来において、さらに豊かな経験をもつという可能性が制約を受けざるをえなくなる。さらにまた、ある種の経験は、ある個人の熟練を特定の方向に伸ばすかもしれないが、そのことはまた、その個人が凝り固まった言動をとる傾向に陥りやすくすることにもなる。そのようなことの結果はまた、その後の経験の領域を狭めることになる。ある経験は、即時的には楽しいものであるが、それは怠慢で軽率な態度の形成を助長することにもなる。ところが、このような態度は、さらに引き続き起こってくる経験を変質させる働きをし、その後の経験から与えられるにちがいないものを、得ることができないようにしてしまうのである。経験は相互にあまりにも切り離されたかたちでなされるので、個々の経験はそれ自体で快適なものであったり、興奮をさそうものであったりしても、それらの経験は相互に累積的には結びついていないかもしれない。そのような場合には、人の活力は拡散され、人は散漫になる。なるほどそのような個別的な経験は活気にあふれ生き生きとした「興味ある」ものであるかもしれないが、それらの経験間には関連性がなく、求心力を失い分離分散をもたらすような習慣を、人為的に生み出すかもしれない。このような習慣が形成されるとなると、その結果は未来の経験を統制する能力を無力化してしまうことになる。こうして未来の経験は、享楽によるにせよ、不満や反抗によるものであるにせよ、そのような動機が現われるままに受け取られてしまうのである。このような状況のもとでは、自己統制について論じてもそれは無益である。

伝統的教育は、たったいま述べたような種類の経験を例示するのに事欠かない。伝統的教育をおこなう教室は、生徒たちが経験する場所ではなかったなどと、たとえ暗黙にしろそのように言うようでは、それは大きな誤りである。だが、経験による学習を計画するものとしての進歩主義教育が、旧い教育と鋭く対立する立場におかれるときには、そのような伝統的な学校教室の状況が、暗黙のうちに想定されているのである。つまり旧い教育を攻撃するにふさわしい言い方として、生徒と教師とによってもたれた経験は同じようなもので、しかもその経験の大半はよくない種類のものであったということである。たとえば、どんなに多くの生徒たちが、思考しアイディアを出そうとする気構えをそがれてしまったことか。どんなに多くの生徒たちが、経験させられたという学習のやり方ゆえに、どれほど学習意欲を失ったことか。どれだけ多くの生徒たちが、自動的な反復練習によって特殊な熟練を習得したものの、それだけに生徒たちの判断力や新しい場面に応じての知的行動力が、どれほど制約を受けたことか。どれほど多くの生徒たちの学習の過程が、倦怠と退屈なものに結びつけられてしまったことか。どれほど多くの生徒たちが、自分たちが学習したことが学校以外の生活の場とは無縁であるため、学校外の生活を統制する能力が与えられなかったことに気づいたことか。どれほど多くの生徒たちが、書物を退屈な骨折り仕事に結びつけるようになり、その結果、彼らはすべて安ぴかの読み物に「条件づけられる」ようになってしまっていることか。

私がこのような質疑を呈したとしても、それは旧教育を十把《じっぱ》ひとからげにして非難するためではない。それはまったく別の目的からの疑問である。それは先ず第一に、伝統的学校での年少者もまた経験をもっていること、第二には、問題を面倒なことにしているのは、伝統的学校では経験が欠如しているというのではなく、そこでなされる経験の誤った欠陥のある性格――未来の経験に接続するという見地からすると、その経験の誤用による欠陥のある性格――にあるということである。この点のもつ否定しがたい側面は、進歩主義教育に関連してくると、いっそう重要な意味をもってくる。経験の重要性を強調しただけでは十分ではないし、また経験の活動性を強調したとしても、それだけでは十分ではない。何よりも重要なことは、もたれる経験の「質」にかかっているのである。いかなる経験の質も、二つの側面をもっている。すなわち、それが快適なものか不快なものであるかといった直接的な側面と、経験がその後の経験にどのように影響を及ぼすかという側面である。第一の側面は明白なことであり、そのことは容易に判断されうる。だが、経験の「効果」は、その表面には現われ出ない。このことが教育者に問題を提示することになる。経験が生徒に不快感を与えず、むしろ生徒の活動を鼓舞するものであるとしても、その経験が未来により望ましい経験をもたらすことができるよう促すためには、直接的な快適さをはるかに越えた種類の経験が求められることになる。このような質的経験を整えることこそ、教育者に課せられた仕事なのである。誰ひとり自分自身のために生き、死ぬわけではないのと同様に、いかなる経験もそれ自体で生きたり死んだりはしないものである。あらゆる経験は、願望や意志とはまったく無関係に、引きつづき起こってくる更なる経験のなかに生きるのである。したがって、経験に根ざした教育の中心的課題は、継続して起こる経験のなかで、実り豊かに創造的に生きるような種類の現在の経験を選択することにかかっているのである。

のちほど、私は経験の連続性の原理について、または経験的連続性と呼ばれるものについて、もっと詳細に論じるであろう。ここでは教育的経験の哲学のために果たす、この連続性の原理の重要性をひたすら強調したいと思う。教育の哲学は、どのような理論とも同様に、言葉によって、記号によって言明されなければならない。しかし、その哲学が言語以上の言葉では言い尽くしがたいものであるかぎり、それは教育を導き出すうえでの一つの計画(プラン)であるということになる。この意味での計画は計画である以上、どのような計画とも遜色《そんしょく》なく、それは、なされなければならないものは何か、それはいかにしてなされなければならないのか、ということに関連して枠づけられなければならない。教育は経験の内部での、経験による、経験のために発展することが、より一段と明確に、よりいっそう誠実に主張されればされるほど、経験とは何であるかその概念が明確になってくるであろう。このことこそ、これまでになく一段と重要なことになってくるのである。経験の結果は、教材を決定し、教授や訓練の方法を決定し、学校の物的設備や社会的組織を決定するための計画であるという考え方をとらないというのであれば、経験はまったく漠然として取り止めのないものにすぎなくなる。そのような経験は、感情的に人を鼓舞するような言葉の形式に還元されるが、経験の口火が切られ実行されるべき作業が指示されないかぎり、その経験は、他の言葉といくらでも組み合わせられ、言い換えられてしまうのが落ちというものである。伝統的な教育は、その計画や課程が過去から手渡されたもので、型にはまった慣例的な事柄であるからといって、進歩主義教育が無計画で即興的な事柄であってよいということにはならない。

伝統的学校は、首尾一貫して発展してきたような教育の哲学をもたずにやってこられた。そのような路線のもとで伝統的学校が要求してきたすべてのものは、教養とか学問とかわれわれの偉大なる文化遺産といった抽象的な一組の言葉であって、しかも実際の指導は、それらによってではなく、慣習や既存の型にはまった事柄によってなされてきたのである。進歩主義的学校は、既存の伝統や制度化された習慣に信頼をおくことができないので、この学校では多かれ少なかれ行き当たりばったりにやっていくことになる。そうでなければ、理念《アイディア》が明確で首尾一貫したものであるときには教育哲学が形成されるが、その哲学の理念によって進歩主義教育は導かれなければならない。伝統的学校を特徴づける種類の組織化に対する反発が動機となって、理念に基礎づけられた種類の学校の組織化を要求し、それを構築していくのである。教育の歴史についてほんのわずかでも知るだけで、教育改革者や革新者のみが教育の哲学を必要としていたことが証明されるのである。私はまた、そのような証明が必要であると思う。既存の体制に固執した人たちは、現行の実践を正当化するためには、聞こえのよい二、三の言葉を必要としただけである。実際の仕事は、習慣によってなされるのであって、その習慣が制度化され固定されたのであった。進歩主義教育がもたらす教訓は、その進歩主義教育が緊急に必要とされ、またかつての教育改革者たちが義務として取り組んでいた程度よりもはるかに切実に、経験の哲学に基づいた教育の哲学が必要とされていることである。

私はたまたまいま問題になっている哲学について、民主主義に関するリンカーンの言葉に言い換えて、経験の、経験による、経験のための教育に関する哲学であると述べたのであった。これら「の」、「よる」、「ための」という言葉のいずれもが自明のものでも、またそれ以外の何ものをも示しているものではない。それらの言葉それぞれは、教育的経験が意味するものを理解するにつれて生じてくる秩序や組織化の原理を発見し、それを実施に移すための意欲を喚起するものである。

　したがって、新教育に相応《ふさわ》しい種類の教材、方法、そして社会関係を創り出すことのほうが、伝統的教育の場合よりはるかに困難な課題なのである。進歩主義的学校の運営において経験される困難なことの大半は、また進歩主義的学校に対してなされる批判の多くは、そのような困難さが原因となって生じているのである。新教育のほうが旧教育よりはいくらかはやり易いのではないかなどと想定するようでは、すでに指摘されたような困難さは倍加され、新教育への批判は増大するのが落ちである。私が想像するに、このような新教育はやり易いという信念は、多かれ少なかれ、いま流布している。このように信じることはおそらく、伝統的学校でなされていることは、進歩主義的学校ではおこなわれなくても十分それでよいという考え方に由来している。このような考え方は、その背後に、再び取り上げるが「あれかこれか」の哲学があって、その種の哲学に左右されていることを説明しているにすぎないのである。

私はよろこんで、新教育が原理上、旧教育よりも単純であることを認めるものである。新教育は成長の原理と調和しているが、他方、旧教育では教材や方法の選択や、その配列に人為的なものが多くはいり込み、その人為性が常に不必要な複雑性を導き出している。しかし、「易しいこと」と「単純なこと」とは同一の事柄ではない。真に単純なものを発見し、その発見に基づいて行動することは極めて困難な課題である。ひとたび人為的なものと複雑なものとが制度的に確立され、慣習や型にはまった仕事に深く根をおろすと、その踏みならされた通路を歩くほうが、新しい観点を採り入れたのち、その新観点のなかに実際に含意されているものを解き明かすことよりは容易である。旧いトレミーの天文学説は、その周期や周転円に関して複雑であった。しかし、コペルニクス学説に基づいて現実の天文現象が組織立てられるようになるまでは、もっとも安易な歩み方は、古くからの知的習慣によって用意され、しかも最も抵抗の少ない方向をとることであった。そこで、もとの考え方に戻るが、適切な教育の方法と教材を選定し組織化するような積極的な方向を提示するような、首尾一貫した経験の「理論」により、学校の仕事に新しい方向を与えるような試みが必要とされていたのである。この過程はゆっくりとしたもので、また骨の折れるものである。この過程は成長にかかわる事柄であり、そこには成長を妨げ、それを誤った方向へと逸脱させる多くの障害が存在するのである。

　教育の組織化については、のちほどある大切なことを述べることになるだろう。このさい、おそらくぜひとも述べておきたいすべてのことは、つぎのようなことである。伝統的教育を特徴づけている組織化というものが、たとえそれが教育内容（あるいは教材）の組織化であるにせよ、また教育の方法や社会関係についての組織化であるにせよ、その組織化の種類によって、組織化というものを考える傾向からは脱却しなければならないということである。私は、組織化という考え方に対する現行の反対意見の大半は、旧式の学校での学業風景から逃れることがはなはだ至難なことであるという事実によるものである、と思っている。「組織化」ということに言及される瞬間に、普段おなじみの種類の組織化が、ほとんど自動的に想像されてしまうのである。このような傾向に反発して、われわれはいかなる教育の組織化であれ、またそのような組織化するという考え方を、回避するようになってしまう。ところが、他方、いまや勢力を結集しつつある教育上の反動主義者は、新しい型の学校は、十分適切な知的・道徳的な組織化が欠如していることを、組織化の必要の証拠として利用している。それだけではなく、いずれのものであるにしろ、あらゆる種類の組織化が、実験科学の勃興以前に制度化されたそれと同一視するための証拠として用いられている。経験的・実験的基礎のうえに組織化するという概念を発展させることについて失敗したことが、反動的な復古主義者にいとも簡単に勝利を与えることになる。しかし、経験科学が、いまやいかなる分野においても見いだすことができるような知的組織化に関して、最適の形態を提供するという事実がみられる。その事実は、経験主義者を自称するわれわれが、秩序や組織化という問題においては、「だまされやすい人」でなければならない理由のないことを示しているのである。

第三章　経験の基準

教育が経験を基礎にして、知的に導かれ処理されるためには、経験の理論を形成する必要がある。このように、私はこれまで述べてきた。このことになんらかの真実があるとすれば、この議論の順序として、つぎに、経験の理論を組み立てるうえでの最も意義深い原理を提示しなければならない、このことは、いうまでもないことではあるが。したがって、私は、そうでなければ場違いになるかもしれないような哲学的分析にある程度携わることになるが、そのことについては弁解しなくてすむだろう。私にとって、この分析はそれ自体を目的としてなされるものではない。それは後ほど取り上げられる具体的で、たいていの人にとって一段と興味ある多くの論点についての議論に適用されるべき基準を手に入れるためにおこなわれるのである。このように述べることで、私の言いたい要点は改めて、ある程度納得していただけると思う。

私はすでに、連続とか経験的連続性といったカテゴリーで私が呼んだものについて言及してきた。この原理はすでに指摘したことだが、教育的に価値のある経験とそうでない経験との間を識別するためのあらゆる試みにかかわりをもっているのである。この識別が伝統的教育のタイプを批判するために必要であるだけではない。このような識別は、伝統的教育とは異なったタイプの教育を創始し、それを実行に移すときにも必要である。このように論じることは、余計なことであると思われるかもしれない。それにもかかわらず、このような識別が必要であるという考え方を、しばらくとっていくことが、当を得ているのである。私は、進歩主義運動が推奨され、受け入れられている理由の一つは、伝統的学校の教育手順が多分に専制的であるため、それよりも進歩主義運動のほうが、わが国民が委ねる民主主義の理念に調和しているようにみえることであると思っている。誰もがこのように思っていると決めてかかっても差しつかえないであろう。進歩主義運動が好感をもって受け入れられることに一役買っているもう一つの理由は、伝統的学校の教育政策にあまりにもしばしば付きまとう苛酷さにくらべて、進歩主義運動の教育方法には人間味があるということである。

私が提示したい問題は、どうして私たちが専制的で苛酷な状況をもつ取り決めよりも、民主的で人間味のある取り決めのほうを好むのかという問題である。そして、「なぜ」そうなのかという問いに対する私の意味するものは、それを好むという「理由」であって、その好みをもたらすような単なる「原因」ではない。そのように言える理由の一つとして、われわれが単に学校だけによるのではなく、新聞、説教壇、演壇、そして合衆国の法律や立法府によって、民主主義があらゆる制度のなかで最善のものであると教えられてきたことがあげられるであろう。こうした考え方が、われわれの環境から受ける影響によって、われわれの心的・道徳的組成の習慣的な部分になるまで同化してきたのである。しかし、同じような原因が、たとえばファシズムを好むというようなことがあるように、異なった環境にいる他の人びとに広範にわたってひどく異なった結論を導いていることもある。われわれの好みの原因は、なぜわれわれがそれを好まずにはいられないかという理由とは、同じものではない。

このような理由について詳細に立ち入って論じるのは、ここでの私の目的ではない。しかし私は、ここで私心のない質問をしておきたい。民主的な社会的取り決めは、非民主的ないし反民主的な社会生活の形態よりも、一般的に広く親しく享受されるという信念、すなわちそれは人間経験の一段とすぐれた質を増進するという信念に最終的に帰着する。そうではないというなんらかの理由をわれわれは見いだすことができるのであろうか。個人の自由や人間関係における礼節や親切を尊重するという原理は、つまるところ、これらの事柄が抑制や強圧や暴力の方法によるのではなく、これらを尊重する多数者の側の経験が質的により高次なものになることに貢献するという信念に帰着しているのではないのか。説得をとおして到達された相互の協議や確信のほうが、そうではない他の方法――たとえそれがどんなに広範な規模で用意されたものであっても――によるよりも、経験の質をよりよいものにするとわれわれは信じるが、その理由はわれわれの好みに因るものではないのか。

これらの質問に対する答えが肯定的であるならば（そして個人的には、他にどのような根拠で、われわれが民主主義や人間性を好むのか、その好みを正当化できるのか、私にはわからない）、進歩主義に好意が寄せられる究極の理由は、このように言うことができる。その理由は、人間的な方法に対する信頼とその利用によって、およびその方法が民主主義との親密な関係にあることによって、個々人の異なった経験の固有の価値の間に識別がなされるという事実に帰着するというのである。したがって、私は識別の基準としての、経験の連続性という原理に立ち返るのである。

この原理は根底において、習慣が生物学的に解釈される場合の、習慣という事実に基づいている。習慣の基本的な特徴は、すべておこなわれ受け止められた経験が、それをおこない受け止めている当事者本人を修正する一方、その修正が他方ではそれを望もうが望むまいがにかかわらず、引き続き起こる後の経験の質に影響を及ぼすというのである。というのは、われわれが後の経験に入っていくのは、以前の人間とは幾分か異なった人間としてであるからである。このように理解された習慣の原理は、物事をおこなううえで、多かれ少なかれ、固定した方法としての一つの習慣という普通の概念よりは、明らかにもっと深いところにある。もっとも、習慣は固定的な習慣を特殊な事例の一つとして包含するものではあるが。このように深い意味をもつ習慣には、態度すなわち感情的な、また知的な態度の形成が含まれる。それは、われわれが生きていくうえで出会う条件すべてに対応し反応する、われわれの基本的な感受性や様式を含むものである。この観点から、経験の連続性の原理というものは、以前の過ぎ去った経験からなんらかのものを受け取り、その後にやってくる経験の質をなんらかの仕方で修正するという両方の経験すべてを意味するものである。そのことについて、ある詩人はつぎのように述べている。

……すべての経験は緑門《アーチ》、その門を通して、
未踏の世界が仄かに見え、その境界は、遠く彼方に消えゆく、
永遠に、永遠に、私が進みゆくにつれて。
〔訳注：テニスンの詩「ユリシーズ」より〕

しかしながら、われわれはこれまでのところ、さまざまな経験の違いを識別する

だけの根拠を持ち合わせていない。なぜかというと、原理というものは、どのような経験にも普遍的に適用されるものでなければならないからである。あらゆる経験的な事例には、その間にある種の連続が存在する。経験間の違いを識別する根拠をわれわれが得るのは、ひとえに経験が連続して作動するそのさ中にさまざまな経験の形態がみられるが、そのことに注意を払う時にほかならない。かつて私が提起した考え方——すなわち教育過程が能動的な分詞用法「成長しつつある」という意味に理解されるとき、教育過程は成長と同一視されうるという考え方——に対してくだされた反対論が意味したものを、ここで説明することにしよう。

成長、または、単に身体的にだけではなく、知的にも道徳的にも発達するものとしての成長することは、連続の原理の一つの例証にほかならない。これに対してなされる反対論は、成長は多くの異なった方向をとりうるのではないかというものである。たとえば強盗をするという経歴から出発し、その強盗を実践しつづけながら成長すると、高度に熟達した強盗人間に成長することだってありうるというのである。こうしてみると「成長」というだけでは、十分に意を尽くせないという議論になる。そこでわれわれはまた、成長がなされる方向、成長が向かう目的を特定しなければならなくなる。しかし、こうした反対論を終局のものと決めてかかるまえに、われわれはそのような事例について、もう少し分析し続けなければならない。

　人が強盗として、ギャングとして、あるいは腐敗した政治家として効率よく有能に成長することだってありうるということは、疑うことはできない。しかし、教育としての成長、成長としての教育の観点からすると、問題はこの方向での成長が、成長一般を促進するか遅らせるかということになる。このような形態をもつ成長が、更なる成長のための条件を創り出すのか、それとも、たまたま特殊な方向で成長してきた人がそのような成長から切り離され、新しい方向で引き続き成長するための契機・刺激・機会が与えられるようなかたちの成長条件が設定されるのか。ある特殊な方向での成長が、それだけで他の筋道での発達のための径路を開くような態度や習慣に対して、どのような影響を与えるのか。これらの問いに対する回答はあなた方皆さんに任せるが、つぎのことだけは述べておきたい。ただ特殊な径路での発達が連続する成長に貢献しそれを導くとき、まさにそのときにのみ、その特殊な発達は、成長することとしての教育の基準を満たし、それに応えるということだけは言えるだろう。というのは、この概念は特殊化され、限定されて適用されるものではなく、どのような場合にも普遍的に適用されなければならないからである。

さて、教育的である経験と非教育的な経験とを識別するため、その基準となる連続性の問題に立ち戻ろう。すでにみてきたように、経験のどのような場合にも、ある種の連続というものがある。というのは、あらゆる経験がある種の好き嫌いをひき起こすことによって、あれこれの目的に適《かな》った行動を容易にしたり、困難なものにしたりする。しかも、このことによって、更なる経験の質を決定するうえで役立つような態度について、よかれあしかれ影響を及ぼすことになる。そのうえ、あらゆる経験は、それがさらに進んだ経験がなされるための条件に対して、ある程度の影響を与える。例えば、話すことを学ぶ子どもは、新しい能力と新しい願望をもつ。しかもその子どもはまた、ひきつづき展開する学習がなされるための外的条件を拡充したことになる。子どもは読むことを学ぶときも、同じように新しい環境を開拓しているのである。ある人が、教師、弁護士、医師あるいは株式仲買人になろうと決めて、その意図を実行に移すとなると、そこではじめてその人は必然的に将来活動するであろうその環境を、ある程度決めてかかっているのである。その人はある一定の条件に対しておのずから、より敏感になり、いっそうの反応をみせることになる。そして、もしその人が別の選択をしていたならば、刺激をしてくれたであろう自分の周囲の事物に対しては、比較的無感覚になってしまうことになる。

しかし、連続性の原理はあらゆる事例になんらかの方法で適用されるとともに、他方、現在の経験の質は、その原理が適用される方法に影響を与える。われわれは、子どもを甘やかすことについても話し、また甘やかされた子どもについても語ったりする。子どもを過度に甘やかし放任することの結果は、連続してみられるものである。その結果は、将来にわたっての子どもの欲望や気まぐれを満たしてくれるものとして、人であれ事物であれ、それらをわがものにするための自動的な要求として作動するような態度をつくりあげるということになる。また、その結果は、その場次第で自分がしたいと思ったことを子どもたちがすることが可能であるような状況を求めさせるようになる。また、その結果は、子どもが障害物を乗り越えるための努力と忍耐が要求される状況を厭《いと》わせ、またそのような状況に対処するには、子どもたちはどちらかというと無能力であるということになる。経験の連続性の原理は、のちの成長のための能力に制約を加えるというやり方で、発達上低次の前段階のままに人を留め置くといったように作用することだってありうるのである。この事実のなかには、逆説は存在しないのである。

他方、もし経験が好奇心を喚起し独創力を高め、未来の死の場所に人を誘うぐらいに強烈な願望や目的を創り出すならば、その経験は連続して極めてさまざまな方法ではたらいているのである。経験というものはいずれもみな動きゆく動力なのである。したがって、経験の価値は、経験が向かっていき、そこにはいり込んでいくという動きに基づいてのみ判断されうるものである。教育者としての成人に属すべき非常に成熟した経験により、成熟した経験をもたない年少者にはできない方法で、年少者それぞれの経験を評価するにふさわしい地位が、成人に与えられているのである。そこで、経験がどのような方向をとっているのかを知ることが、教育者の仕事になる。教育者が、未成熟な者が経験するうえでの条件を組織するのに力を貸さないようでは、その教育者のもつすぐれた洞察力を投げ捨ててしまうことになる。そのようなことになると、教育者にとっては、未成熟者より決定的にすぐれて成熟しているという特質は意味をなさなくなる。経験を動いている力として判断し、そのような力を指導するよう経験の動力を考慮しないようでは、教育者は経験の原理それ自体に誠実に対応していないことになる。この不誠実な行為は、二つの方向ではたらくことになる。そのような教育者は、自分自身の過去の経験から獲得しなければならないことについて分かっていないのである。そのような教育者はまた、人間の経験はすべて究極において社会的であるという事実、つまりそれには触れ合いとコミュニケーションが含まれるという事実に対して誠実に対応できないのである。このことを道徳的な言葉でいえば、成熟者は自分自身の経験が年少者に当然のこととして与えるべき共感的な理解力がどのようなものであるにせよ、そのような共感力を機会あるごとに年少者に与えなくてもよい、というような権利はまったくないということである。

しかしながら、このようなことが言われるや否や、極端に他方へと反作用する見解が生じてくる。すなわち、成熟者の未成熟者に対する経験上の共感的関係について述べてきたことは、外部からの押しつけを隠すための一種の口実にすぎない、といった見解がそれである。したがって、成人自身の一段と広い経験が、抑制するといったような押しつけがましいことがいささかもなく、未成熟者に与えた知恵を実際にはたらかせる方法について、いくらか述べておくことは価値のあることである。その一面として、年少者のなかにどのような態度と習慣的性向が創り出されるかについて、油断なく見定めることは、成人に課せられた仕事である。このような観点からすると、もしその成人が教育者であるならば、どのような態度が連続的な成長にとって実際に助けになるのか、またどのような態度が有害なものになるかについて判断することができなければならない。これに加えて、教育者は未成熟者個人を個人として共感する理解力をもたなければならない。その共感力が、学習している人びとの精神のなかで実際に進行しているものについてのアイディアを、教育者に与えてくれるのである。このような共感する能力が、なによりも親と教師の側に求められるのである。このような要求がなされるのは、伝統的教育の型に従うよりも、生きた経験に基礎づけられた教育の体系を首尾よく実現することのほうが、はるかに困難な問題だからである。

しかし、その問題には、もう一つの側面が存在する。経験は、単に個人の内面だけで進行するものではない。経験は確かに、個人の内面で進行はしている。というのは、経験は願望や目的といった態度の形成に影響を及ぼすからである。とはいうものの、これが当面の話のすべてではない。あらゆる真の経験は、その経験がなされる客観的条件をある程度変化させるという積極的な側面をもっている。規模の大きな例をあげれば、文明と野蛮との間の相違は、先行する経験が後続する経験が生じる客観的条件を変化させるが、その変化の程度のなかに見いだされる。道路、迅速な移動や輸送の手段、道具、器具、家具、電燈、電力の存在は、その実例である。現在の文明化された経験の外的条件を打ち砕いてみよ。そうすれば、われわれの経験は当分の間、未開人の経験に逆戻りするだろう。

要するに、われわれは生まれてから死ぬまで、人と事物の世界に生きているが、その世界の大部分はすでに為《な》されてしまったものであるがゆえに存在しており、また以前からの人間の活動から伝えられてきたものである。この事実が無視されると、経験はあたかも個人の身体と精神の内部でのみ進行するものであるかのように取り扱われることになる。経験は真空のなかで生起するものではない。言うまでもないことである。経験を引き起こす源は、個人の外にある。経験はこれらの源泉によって、絶えず養い育てられている。スラムの安アパートに住む子どもが、教養ある家庭に住む子どもの経験とは違った経験をもつということ。田舎の若者が、都会の少年とは異なった種類の経験をもつということ。あるいは海辺で育った少年は、内陸の草原に育った若者とは違った経験をもつということ。このようなことに対して疑問をさしはさむ者は、誰ひとりいないであろう。通常、われわれは、このような事実はあまりにも平凡で記録するには及ばないものとしている。しかし、これらの事実が教育的には重要であると認識されてはじめて、これらの事実は、教育者が押しつけるというやり方ではなく、年少者の経験を指導することができるというもう一つの方法を示していることになるのである。教育者の基本的な責任は、年少者たちが周囲の条件によって、彼らの現実の経験が形成されるという一般的な原理を知るだけではなく、さらにどのような環境が成長を導くような経験をするうえで役立つかについて、具体的に認識することである。何よりも先ず、教育者は、価値ある経験の形成に寄与するにちがいないすべてのものが引き出せるようにと存在している環境——自然的、社会的な——をどのように利用すべきであるか、そのことを知らなければならない。

伝統的教育は、このような問題に直面する必要はなかった。というのは、伝統的教育はすでに述べたような教育者の寄与すべき責任を、旧教育の組織をあげて理路整然と言い逃れることができたからである。伝統的な学校の環境は、机、黒板、小さな校庭があればそれで十分であると想定された。伝統的学校の教師には、地域社会の自然的、歴史的、経済的、職業的などの諸条件を教育的資源として活用するため、それらに親しく精通していなければならないといった要請はされなかったのである。これとは反対に、教育と経験との必然的な結びつきに基づく教育のシステムは、もしこの原理を忠実に守るというのであれば、これら以上述べてきた事柄を、片時も忘れずに考慮に入れておかなければならない。このように教育者に対する重い要請自体が、なぜ進歩主義教育を進展させることのほうが、いつも伝統的な教育システムに従っていることよりもはるかに困難なことであるかの、いま一つの理由を示しているのである。

教育される個人に内在する主観的条件に、客観的条件をかなり組織的に従属させるような教育計画を立てることは可能である。このような可能性は、教師や書物や装置や設備が機能する場所や、また成人たちのより成熟した経験の産物を表わすようなあらゆる事物が機能する場所がどのようなものであっても、それらが年少者の即時的な反応傾向や感情に系統的に従属させられるときには、いつでも生起していることである。外部からの統制を押しつけたり、個人の自由を制限するようなことをしないではじめて、このような客観的要因が重要性を増してくるのである。このように想定されうる理論はすべて最終的には、経験というものは、経験しつつある個人の内部で進行しているものに従属させられてこそはじめて真の経験であるといってよいのである。経験とは、このような見地に立つものである。

このように言ったからといって、私は客観的条件を締め出すことができるなどと思っているものではない。客観的条件というものが経験に入り込んでこなければならないことは、事実上認められていることである。われわれは事物や人間の世界で生きているという避け難い事実によって、経験に客観的条件が入り込むことについて相応の譲歩をもたらすことになるのである。しかし、家庭や学校で進行していることを観察してみると、客観的条件を内的条件に従属させるという考え方に立って行動している親や教師たちがいることがはっきりわかってくる。このように私は考えている。このような事例においては、内的条件は単に基本的なもの——ある意味ではそれは基本的なものではあるが——と想定されているだけではなく、その内的条件が一時的なものとして存在するときでも、それは教育の過程のすべてを固定するものであると想定されているのである。

幼児《おさなご》の場合を取り上げて、説明してみよう。赤ん坊が食物、休息、活動を必要とする場合、その要求はある点では、確かに基本的で決定的なものである。栄養は供給されなければならないし、快適な睡眠のための準備がなされなければならない。しかし、こうした事実は、赤ん坊がむずかったり、いらついているときにはいつでも、赤ん坊に食べ物を与えなければならないことを意味するものではない。また、そのことは、食事や睡眠などが時間を決めて規則的に与えられるプログラムがあってはいけないということを意味するものでもない。賢明な母親は幼児の欲求を考慮に入れるが、その欲求が充足される客観的条件を規制して、母親自身の責任を免じるような仕方でそのようにするのではない。さらに、もしその母親がこの点で賢明であるならば、その母親はどのような経験が一般に幼児の正常な発達にとって最も役立つかを、自分自身の経験に劣らず育児のエキスパートの経験の光に照らして引き出すのである。このような条件は、赤ん坊の直接的・内的な条件に従属させられるというのではなく、その赤ん坊の直接的・内的な状態との間に特殊な種類の、相互作用がもたらされるように、これらの条件が確実に秩序立てられるのである。

いまここで用いられた「相互作用」という言葉は、経験の教育的機能と能力について解釈するうえでの第二の重要な原理を表現している。この原理は、経験における両方の要素――すなわち客観的条件と内的条件――に同等の権利を割り当てているる。どのようなものであれ、正常な経験は、以上のような二つの条件が一つのものにセットされるという相互作用である。これら二つのものが一緒になるか、あるいは相互作用がはたらくかして、われわれが「状況」と呼ぶものを形成する。伝統的教育に伴う難点は、それが経験をコントロールするための外的条件を強調したことだけにあるのではなく、どのような種類の経験がなされたかを決定するうえでの、個人の内的要素にほとんど注意が払われなかったことにみられる。伝統的教育は、相互作用の原理を一つの側面から一方的に蹂躙《じゅうりん》した。しかし、だからといって新教育が相互作用の原理を他の側面から蹂躙してよいという理由は適切でない。もっともすでに言及した例の極端に「あれかこれか」といった教育哲学に依拠するというのであれば、話は別であるが。

赤ん坊の発達には、客観的条件を調整する必要のあることを例にとって説明した。そのさいの説明は、つぎのような二点からなされた。第一には、赤ん坊の食物、睡眠などの経験を生じさせる条件を整備する責任を親がもつことである。同時に、第二には、その責任は、過去に積み立てられていた財源的な経験——いわば正常な身体的成長について特別な研究をおこなってきた有能な医師やその他の人たちの助言に代表されるような――を利用することによって果たされるということである。そこで、前述したように用意された経験の条件に関する知識の統一体が、母親が子どもの栄養や睡眠についての客観的条件を規制するために利用されるとなると、その母親の育児の自由を制限することになりはしまいか、という疑問が生じる。そうでないとしたら、彼女の母親としての役割を遂行するさいに、彼女の知性が増大するとなると、それは彼女の自由を拡大することになるのだろうか、このような問いかけも出てくるのである。もしもそのような育児に関する助言や指導が、どのような条件に対しても変わることなく従っていかなければならないような命令になってくるならば、そのときは疑いなく、母親と子ども両者の自由は制約を受けることになるであろう。しかし、この制約は、同時にまた、個人的な判断において行使される知性の制限ともなるものである。

客観的条件による規制は、どのような点で赤ん坊の自由を制限するのだろうか。赤ん坊がまだ遊びつづけていたいのに、ベビーベッドに入れられる場合、食べ物が食べたいのに、それが得られない場合、あるいはまた、泣いて注意をひこうにも、あやしてもらえない場合には、赤ん坊が直接にみせる動作や性向に対し、まぎれもなくある種の制限が加えられることになる。このような制限は、母親や乳母が、囲いのない煖炉《だんろ》に落ちようとしている赤ん坊をひったくるように抱きあげる場合にも生じる。自由については、のちほどさらに述べることになろう。ここではつぎのようなことを問うだけで十分であろう。自由というものは、比較的瞬間的な出来事に基づいて考えられ、宣告されるべきものであるのか。あるいは自由の意味は、発達してゆく経験の連続のなかに見いだされるものであるのか。

個人が世界のなかで生きるという言明は、具体的には、個人が状況の連続のなかに生きていることを意味する。そして、個人がこれら状況の「なかに」生きていると言われるとき、「なかに」という言葉の意味は、銀貨がポケットの「なかに」あるとか、ペンキが缶の「なかに」あるといわれる場合のその意味とは異なっている。いま一度言うと、「なかに」の意味は、相互作用が個人と対象物あるいは他の人との間で進行していることを意味する。「状況」とか「相互作用」という概念は、相互に分離しては成り立たない概念である。経験は、常に、個人とそのときの個人の環境を構成するものとの間に生じる取引的な業務であるがゆえに存在するのである。しかもその個人の環境は、ある話題や出来事についての話し相手から構成されている。というのは、そこに語られている主題も、その場の状況の一部を構成しているからである。あるいは、個人の環境は、また、個人が遊んでいる玩具や、個人が読んでいる本(その本のなかで彼を取り囲む条件は、イギリスであっても、古代ギリシアであっても、その他想像上の地域であってもよい)から構成されていてもよい。あるいはまた、個人が進めている実験の材料から、その個人の環境は構成されていてもよい。換言すれば、環境とは、どのような状況のもとであっても、個人がもたされる経験を創造するうえでの個人的な要求、願望、目的、そして能力との相互作用がなされるための条件なのである。たとえ空中に楼閣を築くとしても、その人は、空想のなかに築く構想した対象物と相互作用をしているのである。

連続性と相互作用という二つの原理は、相互に分離しているものではない。それらは離れていても、結びつくものである。それらはいわば、経験の縦の側面と横の側面である。相異なった状況は、相互に継承されているのである。しかし、連続性の原理に従って、先に起こったものから後に起こるものへと持ち越される何かがあるのである。個人が一つの状況から他の状況へと移りゆくさいに、その個人の世界、つまり環境は拡張したり収縮したりする。その個人は別の世界に生きている自分を見いだすのではなく、一つの同じ世界で、これまでと異なった部分あるいは側面で生きている自分に気づくのである。個人が一つの状況で知識や技能を学んだことは、それに続く状況を理解し、それを効果的に処理する道具になる。この過程は、生活と学習が続くかぎり進行する。そうでなければ、経験の進路は無秩序なものになる。つまり、経験をつくり出すさいに入り込む個人的要素が分裂するからである。分裂した世界、部分や側面がそれぞれに結び合わさっていない世界は、それ自体が分裂した人格の徴候であるとともに、分裂の原因でもある。この分裂がある頂点に達すると、われわれはその人を狂人と呼ぶ。他方、十全なかたちで統合された人格は、連続的経験が相互に統合されているときのみ存在する。十分に統合された人格は、相互に関連する対象物の世界が構成されたときにおいてのみ、構築されるのである。

相互に能動的に結合している連続性と相互作用とが、経験の教育的意義と価値をはかる尺度を提供する。そこで教育者にとって、すぐさま直接に関心の的になるのは、相互作用が生じている状況ということである。この状況に個人が一つの要素として入り込んでこそ、その時点ではじめて個人は具体的な自分自身であることになる。もう一つの要素としては、教育者による規制がある程度可能な範囲にある客観的な条件があげられる。すでに言及したように、「客観的条件」という用語は、広範にわたって用いられる。その用語には、教育者によってなされたことやそれがなされる方法を包含し、話された言葉だけではなく、言葉が話される音声の調子をも包含する。それはまた、設備、書物、装置、玩具、遊ばれるゲームをも包含する。それは個人が相互作用する材料を包含し、またすべてのもののなかで最も重要なものとして、個人が従事させられる状況の全体的「社会的」な機構をも包含するものである。

経験に関する客観的条件というものは、教育者の能力内で規制されるものであるといわれるとき、それはもちろん、教育者が他者の経験に直接影響を与える能力を意味する。そのような教育者の能力とそれによって他者が獲得する教育とが、価値ある経験を創造するよう教えられた人びとが、現にもっている能力や欲求と相互作用するであろう環境を決定するのである。その決定は教育者の義務としてなされることが求められているのである。このことが、教育者が他者の経験に影響力を与えることの意味を表わしているのである。伝統的な教育の難点は、教育者自身が環境を提供する責任を引き受けたということにあるのではない。難点は、教育者が経験を創造するにさいしての他の要素、すなわち教育される者たちの能力や目的を考慮しなかったことにあった。そのことはまた、あるひと組の条件は、個人のなかにある種の特質に値する反応を喚起する能力とは別に、本来的に望ましいものであると思い込まれていた。このように相互に適応することの欠如が、教えることと学ぶことの過程を偶発的なものにしてきたのである。あらかじめ用意された条件に適合していた者たちは、学習をうまくこなせたのである。そうでない者たちは、せいぜい自分でやれることしか進めなかった。そこで客観的条件を選択する責任は、一定の時間内で学習している個人の欲求や能力を理解する責任を伴っていることになる。特定の材料や方法が、他の個人や他の時間で有効であることが証明されたとしても、それだけでは十分ではない。これらの材料や方法が、ある特定の時間内にある特定の個人に対して、教育的特質をもつ経験を生み出すよう機能する、と考えるだけの理由がなければならない。

幼児にビーフステーキを食べさせないということは、栄養に富んだビーフステーキの性質を非難することにはならない。それは小学校の一年生や五年生に三角法を教えないことが、三角法に対する不当な非難にはならないのと同じことである。それが教育的なもの、あるいは成長に寄与するものであるからと言ったところで、そのことは教科それ自体ではない。それ自体で教科であるものはない。また、学習者によって達成される成長の段階を考慮しないで、教育的価値に固有のものがあって、それが教科という主題に帰属させられて存在することもない。個人の欲求や能力に適応することに考慮を払わない傾向が、ある種の教科や方法が本質的に教養的であり、本質的に精神的訓練に好適であるという考え方の根拠であった。教育的価値というものは、抽象的な事物としては存在しない。ある教科やその方法に、あるいはまた一定の事実や真実に精通することそれ自体が教育的価値をもつという考え方が、伝統的教育をして、教育の材料の大部分を消化しやすい規定食に還元してしまうことの理由となっているのである。このような考え方に従うと、用意された教材の分量とその難易度を、月ごと年ごとに振り分けての量的な段階づけの計画で規制すれば、それだけで十分であるということになる。そうでなければ、生徒たちは教材を外部からの処方箋に盛られた一服量として飲み込むことが期待されたのであった。もし生徒がその薬を飲まないでいると、またもし身体的に骨惜しみをしたり、心情的にさまよい歩き、精神的に道草を食ったりして、結局は教科に対して嫌悪感をもつようになると、それは生徒が間違っているからである、と考えられるのである。教材のなかに、あるいは教材の提示のされ方に難点があるのではないかといった疑問は、何ひとつとして提起されなかった。このようなことは、相互作用の原理が明確に説明してくれる。つまり、教材を個人の欲求と能力に適応させることができなかったことが、個人が教材に適合することができないことと全く同様に、そこでは経験を非教育的なものにしているのである。

それにもかかわらず、教育に適用される連続の原理は、教育過程それぞれの段階において、未来というものが考慮されなければならないことを意味する。この考え方は伝統的教育においては、いともたやすく誤解され、ひどく曲解されている。その場合、伝統的教育はつぎのような仮定のうえに立つ。そのことは、のちに(おそらく大学生活や成人の生活で)必要とされる一定の技能を獲得し、一定の教科を学ぶことによって、生徒は未来の必要や環境に対して準備するのは当然のことである、という仮定である。さて、この「準備」というのは、当てにならない観念である。ある意味では、経験というものは、その後のより深くより広い質をもつ経験を準備する点でなんらかの寄与をすることは当然であるということになる。このことこそが、まさに経験の成長、連続、再構成を意味しているのである。しかし、将来のある時期に役立つだろうということだけで、教えられ学ばされる算数、地理、歴史などの一定量の教科内容を単に習得するだけで、そのような経験の準備的な効果があがると仮定するならば、それは誤りというものである。また、読み方や数え方に熟達する技法を習得すれば、それらが習得された条件とは非常に異なった条件のもとでも、それらの技法を正しく効果的に利用するための準備が、自動的に出来上がると仮定するのも誤りである。

ほとんど誰もが自分の学校時代を顧みて、在学中に蓄積したはずの知識が、現在はどうなってしまったのかと疑っている。また、学校で習得した技術的な熟達を、現在の自分に大いに役立たせようとするならば、なぜそれをもう一度変わったかたちで学び直さなければならないのか、そのような疑問は誰にでも生じるのである。実際、進歩するために、知的に前進するために、学校で学んだ多くのことをさらに学ぶ必要があることに気づかない人は、まことに幸せな人である。これらの問題は、教科が少なくともその試験にさえ合格すればよいというように学ばせられてきたので、教科は真に学習されたのではなかったといって、片づけられてよいというわけにはいかない。そこにみられる難点は、問題の教科が孤立したかたちで学ばれたということである。それはいわば、防水室で区画されたようなものである。そこで教科はいまどうなっているのか、教科はいまどこにいってしまったのか、というように問われると、それに対する正しい答えは、教科がもともとあった特別な防水室のなかに依然として同じ教科が留まっているというほかはない。もし教科が習得されたときとまったく同じ条件が再生した場合は、その教科もまた再生し役立つであろう。しかし、教科は習得されたときに隔離されていたので、それゆえ教科は残されていた他の経験からも切り離されていたので、生活の現実的な条件のもとでは役に立たないのである。このような教科の習得がどんなに徹底して深くしみ込んでいたとしても、この種の学習が将来への真の準備をすべきであるというのであれば、それは経験の法則に背反することになる。

準備するということが失敗に終わるのは、前述したような点だけにとどまらない。おそらくあらゆる教育学的な誤りのうちで最大のものは、人はその時点で学ぶ特殊な事柄だけを学習しているという考え方である。好きなことを持続させ、嫌いなことを耐え忍んでいく態度が形成される仕方にみられるような、附随的な学習のほうが、綴字（スペリング）の授業や地理や歴史の授業で学習することよりもはるかに重要なものである。そのことはまた、現にしばしば重要なものである。というのは、このような態度こそ、将来において基本的に重きをなすものだからである。形成されうる最も重要な態度は、学習を継続していこうと願う態度である。もしこのような方向への推進力が強化されないどころか弱められるようでは、教育上準備するという考え方が単に欠如するどころではなく、もっと重大なことが起こってくるであろう。実際に生徒は、生得の能力までも奪われてしまうことになる。そうでなければ、その生得の能力は、生徒が生涯において出会うであろうさまざまな状況に適切に対処できる能力であったはずである。われわれはしばしば、ほとんど学校教育を受けなかったが、その正規の学校教育の欠如が確かな財産になっている人によく出会うものである。そのような人たちは少なくとも、その人ならではの固有の常識と判断力を保持し、それを生活における実際の条件のなかで行使し、それによって自己の経験から学ぶという貴重な才能が与えられてきたのである。もし学習の過程において、個人がほかならぬ自分自身の魂を失うならば、価値ある事物やその事物に関連する価値に対して批評する能力を失うならば、さらにまた学んだことを適用したいという願望を失うならば、とりわけこれから起こるであろう未来の経験から意味を引き出す能力を失うならば、地理や歴史について規定されている知識量を獲得したところで、また読み書きの能力を獲得したところで、それが何の役に立つというのであろうか。

それでは、教育的計画における準備の真の意味は何であるのか。先ず第一に、準備が意味するものは、老いも若きも自分の現在の経験から、自分が経験しているそのときの経験のなかにある自分のためになるすべてを獲得することである。準備が統制されて目的になる場合は、そのとき現在発揮されるであろう可能性は、仮想上の将来のために犠牲にされる。このようなことが起こると、将来のための事実上の準備は失われるか、あるいは歪められることになる。単に将来に備えるために現在を利用するという理念は、それ自体が矛盾していることになる。そのような理念は、個人が自分の将来のために用意することのできるようにする、まさにそのための条件をなおざりにし、またそれを遮断さえしている。われわれはいつでも自分たちが生活しているその時に生きているのであって、ある別の時点で生きているのではない。また、われわれはそれぞれの現時において、それぞれ現在の経験の十分な意味を引き出すことによって、未来において同じことをするための準備をしているのである。このことこそが、長い目で見ると、将来に帰するところの何かになるための唯一の準備にほかならないのである。

このことすべては、現在の経験のそれぞれに価値のある意味を与える条件に対して、注意深い配慮がなされなければならないことを意味する。経験は享受されるものであるとされるかぎり、その経験は現在の経験と大差ないと推断されるとなると、それとは正反対の結論が出されることになる。ここに一つの極端から他の極端へと反作用することは容易なことであるという、いま一つの問題が出てくる。伝統的学校が、はるか遠くの多かれ少なかれ未知の将来のために、現在を犠牲にする傾向をもっていたがため、教育者は年少者が受けるある種の現在の経験に対しては、ほとんど責任をもたないですむと信じられてきた。しかし、現在と未来の関係は、「あれかこれか」といった関係の問題ではない。現在というものは、とにかく未来に影響するものである。この両者の関連についてなんらかの考えをもっている人こそ、人生に熟達した人であるというにふさわしい。したがって、そのように成熟した人にこそ、未来に対し有形で好ましい影響を与えるような種類の現在の経験のための条件を、制度化する責任が負わされているのである。成長あるいは成熟としての教育は、常に現在の過程でなければならない。

第四章　社会的統制

私は教育を生活経験であるとみなしているので、教育計画や教育企画は、知的理論、あるいはもしよろしければ経験の哲学を構成し、それを採用することまで約束するものである。このように私は述べてきた。そうでなければ、それら教育の計画や企画は、たまたま起こってくる知的な波風の立つがままに漂うばかりであろう。私はこのような理論の必要について、経験を構成する基本的な二つの原理に注意を払うことによって、説明しようとしてきた。そのさいの二つの原理とは、相互作用の原理と連続性の原理である。そこで、私がなぜむしろ抽象的な哲学を入念に説明しようとして、そんなに多くの時間を費やしてきたのかと聞かれたならば、つぎのように理由を言うことになるだろう。教育は、生活経験のなかに見いだされるという考え方に基づいて、学校を発展させるための実践的な試みである、と。その試みは、経験とは何か、教育的経験と非教育的あるいは反教育的経験との違いは何か、その区別をするだけのなんらかの概念によって導かれなければならない。そうでないかぎり、その試みは無定見で雑把なものであることを露呈するだけである。そして、いまや私は、現実的な一連の教育問題に到達した。その問題についての議論は、これまでの議論よりも一段と具体的な論題や題材を提供するであろう。そのようになることを、私は期待している。

経験の価値をはかる基準としての連続性と相互作用という二つの原理は、あまりにも密接に結びついているので、教育上どのような特殊問題を先ず最初に取り上げるとよいのか、そのことはそう安易に決めることはできない。問題を教材または教科の問題と教授や学習の方法の問題とに分ける便宜上の区分ですらも、議論するための話題《トピック》を選びそれを組織化するとなると、われわれはしくじりがちである。したがって、話題の端緒も順序も、いくらかは恣意的になされることになる。ともあれ、私は個人の自由と社会的統制という古くからの問題から議論を始めたい。そこから自然に発生する問題へと、議論を進めていこうと思う。

教育問題を考察するにさいして、当面学校のことを視野からはずして、他の人間的状況について考えることは、議論を進展させるうえで、しばしば都合のよいことが多い。私はつぎのようなことを認め受け入れている。それは、普通の善良な市民が、事実上社会的統制によく服従していること、そしてこの統制のかなりの部分が個人的自由の制限を含んでいることには気づいていないということである。しかもそのことを誰もが否定しようとしないことである。自分を委ねている哲学が、国家または政府の統制はまったく悪であると考えている理論的無政府主義者ですら、その自分が信奉している哲学から、理論上、政治的国家が廃止されても、別の形式の社会統制が作用するものと信じているのである。つまり、実際に、政府の規制に対する無政府主義者の反対は、現在の国家の廃止とともに、彼にとってはいっそう正常な別の統制様式が作用するという信念から生じているのである。

このような極端な立場を取り上げるようなことはしないで、日常生活のなかに作用している社会的統制の幾つかの事例に注目し、その事例の根底に横たわる原理を求めてみよう。先ず年少者そのものから始めよう。子どもたちは休憩の時間または放課後に、鬼ごっこやワン・オールド・キャット(訳注)から野球、フットボールに至るまで、いろいろなゲームをして遊ぶ。ゲームは規則をもっている。そして、それらのゲームは偶然に進行するものでもなければ、即興の連続によって進行するものでもない。もし抗議が起これば、そこには訴えるべき審判者がいる。あるいは議論や一種の仲裁のようなものが解決の手段になる。そうでなければ、ゲームは解体され終わりになってしまう。

私が注意を喚起したいと思うような状況には、かなり明白な統制的な特徴がみられる。先ず第一に取り上げたいことは、規則はゲームの一部であるということである。規則はゲームの外にあるのではない、ということである。規則なくしては、ゲームは成り立たない。規則が異なれば、ゲームも異なる。ゲームが合理的に順調に進行しているかぎり、遊戯をしている者は、自分たちはゲームをしていると感じるだけで、外部からの規則による押しつけに服従しているなどとは思ってはいない。第二に取り上げられることは、遊戯をしている個人が、時にゲームの進行上公平でないと感じ、しかも憤ることすらあるだろう。しかし、そのさい、個人はゲームの規則に対して反対しているのではなく、規則違反に対して、つまり一方的な不公平な行為に対して異議を唱えているのである。第三に取り上げられることは、規則つまりゲームについての行為は、かなり標準化されているということである。そこでは、得点にはしない方法やどちら側を取るかというサイドの選択の方法が承知されている。そこにはまた、ゲーム上のポジションの取り方ややってよい動作など承認されている仕方が規定されているのである。これらの規則は、伝統や先例により是認されているところである。おそらくゲームをしようとする者は、プロの試合を見ており、そのプロの先輩たちを熱心に見習うようになる。そこには因襲的な要因もかなり強くはたらいている。通常、年少者たちのグループは、自分たちが模範にしているおとなのグループ自体が規則を変更した場合においてのみ、自分たちがしているゲームの規則を変えようとするものである。それと同時に、その年少者たちによってなされた規則の変更は、少なくともゲームをいっそう熟練を要するものにし、観客にとってはいっそう興味あるゲームへと導いていくものであると思われている。

ところで、私が引き出そうとする一般的な結論はこうである。個人の行動の統制は、その個人が含まれ分担している協同的で相互作用的な役割をもっている全体的状況によって、効果的なものにされているのである。というのは、競争的なゲームにおいてすら、共通の経験のなかでのある種の分担がなされ、ある種の参加がみられるのである。ぐるりと向きを変え別の言い方をすると、ゲームで役割を分担している人たちは、自分たちが一人の個人によって切り回されているとか、ある外部からの上位に立つ人物の意のままに服従させられているなどとは感じてもいない。競技上激しい抗議が起こるときには、審判者なり相手側の誰かが公平ではない——別の言葉ではこのような場合には、ある個人の意志が他の誰かに押しつけをやっているということになる——という主張に因るとされるのが普通である。

この実例が、自由を侵害しないで、個人を社会的に統制するという一般的原理を説明するものであると主張するとなると、一つの事例にあまりにも負担がかかりすぎることになり、そうは言い切ることができないことになるだろう。しかし、多くの事例によって、この社会的統制の問題が徹底的に追究されたならば、このような個別的な特殊的例示が一般的原理を説明してくれるという結論は、正当化されてよいであろう。このように私は考えている。ゲームは一般的にみて、競争的なものである。もしわれわれが、相互の信頼がみられる秩序あるよき家庭に例示されるように、あるグループの構成員すべてがそれぞれ各自の役割を分担し協同的活動を営んでいる事例を取り上げてみるならば、私の言わんとする要点はいっそう明白なことになるであろう。このような事例すべてにおいて、秩序を打ち立てるのは、一人一人の人間に意志や願望にあるのではなく、集団全体を推進させる精神なのである。統制は社会的なものである。しかもそのさい個人は共同体の一部であって、共同体の外部にあるのではない。

このように言ったからといって、たとえば、親が子どもに干渉したり、またかなりの直接的な統制を行使したりするような特定の権威はどこにも起こりようがないなどと、私は言うつもりはない。しかし、私は、先ずはじめに、このような統制的な権威が行使される場合は、数のうえで、統制が集団の全員によって分担されている状況の場合にくらべると、わずかであることを言っておきたい。そのうえ、もっと重要なことは、よく統制された家族または他の共同体集団のなかで問題の権威が行使されている場合、そのことは単なる個人的な意志の表明ではないということである。つまり、親や教師は権威を、全体としての集団の利害の代表者あるいは代行者として行使しているということになるのである。そこで、第一の要点については、よく秩序づけられた学校では、だれかれの個人を統制するための主な拠り所は、ある状況のもとでおこなわれている活動にかかっているのであるが、その活動がまた維持されるのもその状況においてである。そのさい、教師は、自分たちが個人的な方法で権威を行使しなければならないような場合を、極力最小限に留めるというのである。第二の要点は、教師は生徒たちに対し確固として話をし、行動しなければならないときには、それは集団の利害のためになされるのであって、教師個人の力を表示するものであってはならない。このことは、恣意的な行為と正当で公平である行為との間に一線を画するものである。

さらに、この相違は、教師にとっても生徒にとっても経験として感じられるために、必ずしも言葉によって定式化しなければならないというものではない。個人的な能力と願望を動機として命令される行動と、集団すべての人の利害にかかわる関心の的である公平な行動との間の相違を感じないような子どもの数は少ない（たとえ、子どもたちがそれらの相違を明確にはできなく、知的原理に還元することができないとしても、大半の子どもはその相違を感じているのである）。全体として子どもたちのほうが、この相違が表わしてくれるさまざまな兆しや徴候に対して鋭敏であるといってさしつかえないだろう。子どもたちはお互い遊んでいるときこそ、その相違がよく分かり、それを学んでいるのである。子どもたちは一人の子どもだけからの示唆を受けたがるものである。むしろ、しばしばそのようにしたがるのである。というのは、遊んでいる子どもたちが揃って経験している価値のうえに、誰か一人の子どもがみせる行為の良さが加えられるとなると、その指図しようとするようなやり方には憤るというものの、その子を指導者にするのである。それから、子どもたちは、そのような状況から引き下がるようなことをよくやり、なぜそうするのかと尋ねると、誰かれは「あまりにも威張り散らしている」からであるという。

私は絵画ではなく風刺画を描くようなやり方で、伝統的学校に言及したいなどとは、思いもよらないことである。とはいえ、私がつぎのように述べたとしても、公平を欠くようなことではないと思っている。私がそのように言えるのは、教師の個人的な命令がはなはだ不当な役割を演じてきた理由によるからである。また、そのような状況のもとでつくられていた秩序の大半が、おとなの意のままにひたすら服従させるといった事柄で占められていたという理由によるからである。しかもこれらの理由は、たとえその場の状況が、教師にそのような不当な役割を演じるよう大いに強要したからだといわれても、それは公平を欠くようなことではないと思う。伝統的学校は、共同活動に参加することによって、みんなが一緒になって保持されるようなゲームでも共同体でもなかった。したがって、伝統的学校では統制が正常にははたらかず、統制がなされるだけの適切な条件が欠如していた。このような欠陥は、いわゆる「秩序を保った」教師による直接の干渉によって補われたものであり、かなりの程度補われなければならないものであった。教師が秩序を保てたのは、秩序が生徒全員が分担しておこなっている作業のなかにあるのではなく、教師が生徒を管理し秩序を維持したことによったのであった。

結論は、社会的統制の根源は、すべての個人が貢献する機会をもち、それに対して個々人が責任を感じるような社会的事業としておこなわれる作業の性質そのもののなかに存在しているということである。しかもその社会的統制が必要とされる根拠は、新学校と呼ばれるもののなかに存在するというのである。子どもというものはその大半が本来的に「人づきあいがよい」のである。子どもにとって、孤立はおとなにとってよりもはるかに退屈なものである。まさにその名に値する共同体生活というものは、このような自然の社交性にその基礎をおいているのである。しかし、共同体生活は、それ自体が純粋に自発的に永続するような仕方で組織立てられているのではない。共同体生活には先ず前以て、思考し計画することが要求されているのである。教育者は個々の生徒たちの知識に対して責任をもつ。また教育者は、生徒個人を社会組織——そのなかで個人すべてがなんらかの貢献をする機会をもち、またすべての個人が参加する活動それ自体のなかで必要とされる統制の主要な運び手となるような組織——に役立たせるような活動を選び取ることができるようにする教材についての知識に責任をもっているのである。

どの生徒も皆物事によく反応するとか、また普通の強さの衝動をもつ子どもは誰でも、あらゆる機会に反応するものだなどと子どもに思いを寄せるほど私はロマンティックではない。学校に登校するまえに、学校外での有害な状況におかれているため、その犠牲になっている子どももいるのである。また何ひとつ他に貢献することができないほど受け身で、はなはだしく御しやすくなってしまっている子どももいる。このようなことは、いくらでもありうることである。また、他に、以前の早まった経験ゆえに、生意気で気ままで、おそらくはもっぱら反逆的にみられる者もいるであろう。しかし、社会的統制の一般原理が、このような事例でもって定められうるものではないことは間違いのないことである。また、どのような一般的な規則も、このような事例に対処するために制定されえないことも事実である。教師は、このような事例を個別的に扱わなければならない。これらの事例は一般的な種類のなかにはいるが、どの事例もまったく同一のものではない。教育者は、極力その反抗的な態度の原因を発見しなければならない。もし教育の過程が進行し続けるべきものであるならば、教師は、そのような教育の過程で、個別的にどちらが強固であるのか、その強さを見定めるため、一つの意志を他の意志と競争させるような問いかけをすることはできない。また、手に負えなく、クラスの教育活動に参加しようとしない生徒が、他の生徒の教育活動の邪魔をしているのをいつまでも許しておくわけにはいかない。おそらくこの場合は、その子を排除することが唯一の有効な方法であろう。だが、それでは、なんら問題の解決にはならない。というのは、排除するということは、人目を引こうとする願いであったり、自分を引き立てようとするような、望ましくない反社会的な態度を助長するかもしれないからである。

例外は、めったに規則の正当性を証明することにはならないし、規則がいかにあるべきかについての道しるべにもならない。そこで、親たちは最後の手段として子どもたちを進歩主義的学校に入れるので、現在その学校では、前述のような例外的事例の占める比率が、適正な比率をかなり上廻っているようである。また、そのことが事実であるにしても、私はこれら例外的事例に重きをおくようなことはしない。私は進歩主義的学校で見いだされる統制上の弱点は、それがどのようなものであっても、前述したような例外的事実から生じているものとは思わない。その弱点は、状況を創り出す作業(この作業とは学校で従事するあらゆる種類の活動を意味する)を前もって用意することに失敗したことから生じるのである。このようなことは大いにありうるのである。その場合の作業が統制にかかわる状況を創り出すのであるが、その状況それ自体が、この生徒は何をするのか、あの生徒は、また別の生徒は何をするのか、またそれぞれ分担された作業はどのようにしてなされるのかについての統制力をはたらかせるのである。このような統制上にみられる失敗は、前もっての活動計画が十分に思慮深く立てられていないことに帰着することが多い。このような欠如の原因は多様である。このことに関連して、特に述べておきたい重要な原因は、このような前もっての計画立ては不要であるという考え方にあり、また教授されるものがもつ正当な自由に敵対する考え方にあるのである。

さて、もちろん言うまでもないことだが、教師によって準備された教育計画は、厳密に固定された知的なやり方でつくられているので、その計画が生徒個人の自由を尊重するものであるといったところで、いざその計画を実施するとなると、その自由は如才なく見せかけの外的なものとなるのである。結局、自由は外的なもの、つまりおとなの押しつけにすぎないものとなる。このようなわけで、教師の押しつけとしての準備された教育計画が立てられることは、まったく可能なことである。しかし、この種の準備された教育計画は、その計画それ自体に含まれている原理から、本来的に生じるものではない。教師が、共同体のすべての者がその共同企画に従事しているというだけの単なる事実によって、個人の衝動を抑制するようはたらく共同体活動や組織づくりに資するような条件をあらかじめ取り決めることができないというのであれば、つぎの点についてはどのように対応してよいか、私にはわからない。教師の有する大いなる成熟度は、いったい何のためにあるのか。また、世界や教材について、さらに個々の生徒についての教師の大いなる知識は何のためにあるのか、私はわからなくなるというのである。ところで、これまで生徒が従事させられ、しかもそれが前もって規定された種類の教育計画があまりにも型にはまったものであるため、個人の自由な思考活動あるいはその個人ならではの独自の経験に帰すべき貢献をする余地をほとんど残さなかったからといって、すべての教育計画が拒否されてよいということにはならない。それどころか、これに反して、もっと知的ないっそう困難な種類の教育計画を制度化する義務が、教育者に課せられているのである。教育者は自分が扱っている個々の生徒たちに共通する独得な能力や要求について調査しなければならない。それと同時に、これら特殊な生徒の能力を発展させ、それらの要求を満足させるような経験から出てくる教材や教育内容を提供するにふさわしい条件を整えなければならない。しかも教育計画は、経験する個人の自由が、個別的に展開されるにふさわしく十分柔軟なものであるのと同時に、他面において、個人の能力が持続的に発展する方向をしっかりと示すにふさわしいものでなければならない。

ここで、教師の職分と任務について、いささかふれておくことが適当であると思う。経験の発達が相互作用から生じるという原理は、教育が本質的に社会過程であることを意味する。この性質は、個々の生徒たちが共同体集団の形成にかかわる程度に応じて実現される。教師がこの種の集団とは無縁であるとして排除されるとなると、それはばかげた話であるというほかはない。教師というものは、共同体集団のなかで最も成熟した成員であるので、その共同体生活そのものである相互作用と相互伝達の行為について、教師ならではの特別の責任をもっている。成熟したおとなとしての教師には個人としての自由はあってはならないとしながら、他方、子どもたちは個人としての自由をもつことが尊重されなければならないという考え方は、あまりにもばかげており、反駁する気にもなれない。教師もその成員である共同体の活動の方向に積極的に加わり指導力を発揮する部分すら認められず、教師を排除するような傾向がみられるとすれば、その傾向こそ、物事が極端から極端へと反動的に動くいま一つの実例である。生徒たちが一つの社会集団に属するというよりは、一つの学級に属しているとき、教師は当然のこととして、生徒に対し外部からはたらきかける教育に終始してきた。そのさい、教師は、クラス全員がそれぞれ役割を分担しその分け前に与《あずか》るよう、それらを相互に交換し合う過程の指揮者としての立場から、生徒にはたらきかける教育をしたのではなかった。教育が経験に基礎づけられ、教育的経験が社会過程であるとみられるとき、そこにみられる状況は根本的に一変してくる。つまり、教師は外部的な支配者あるいは独裁者としての立場を失って、集団の活動の指導者としての立場をとることになるのである。

正常な社会的統制の実例として、ゲーム上の行為について論じたさい、標準化された因習的な要素がみられることが言及された。そのような要素は、学校生活における行儀の問題として、とりわけ上品さや礼儀正しさが表現されているような、いわゆる行儀の良さにぴたり当てはまったかたちで見いだされる。人類の歴史上さまざまな時代でのまたさまざまな地域での習慣について、われわれは知れば知るほど、行儀というものが時と場所とによってどんなにか大きな違いをみせているかを学ぶのである。この事実は、因習的な要素に含まれている意味が、いかに大きなものであるかを証明している。しかし、たとえば、他者に対する挨拶の仕方に関する行儀について、なんらかの決まりをもっていないような集団は、いかなる時代やいかなる場所にも存在しない。因習がとらせる特殊な形式は、なんら固定されたものでもなく、またその因習は絶対的なものでもない。しかし、因習についてのある形式が存在するからといって、そのことが因襲そのものであるというのではない。因襲はすべての社会関係に一様に附随するものである。少なくとも因習は摩擦を防ぎ、それを減らす潤滑油なのである。

もちろんこのような社会的形式は「単なる形式主義」であるといわれてもしかたがないことになろう。それらは背後に何の意味ももたない、ただの外部的な見せかけになるかもしれない。しかし、社交上の空虚な儀礼的形式を避けたからといって、そのことは必ずしも形式的な要素の一切を拒絶することを意味するものではない。そのことは、むしろ社会的状況に本来的にふさわしいものである交際の形式を発展させることの必要を示しているものである。進歩主義的学校への訪問者は、そこでの行儀が欠落していることに出くわして、衝撃をうけるのである。そのような状況がみられるのをよくわかっている人は、その行儀の欠如はある程度、子どもたちがいまやっていることに夢中になっていることに因る、ということに気づいている。そのような熱心さのため、子どもたちは、例えばお互いにまた訪問者にぶつかっても詫びる言葉が出ないのである。こうした状況は、学校での課業に対して知的・情緒的な興味をもたないで、もっぱら儀礼的な外見的形式にこだわり、それを見せつけることよりはましである。このように言うこともできるであろう。しかし、それはまた、教育における失敗を示し、人生における最も重要な教訓の一つ、すなわちお互い同士の調停と適応という教訓を学ぶことができなかったということを示しているのである。したがって、教育は一方通行の道を歩むことになる。というのは、態度や習慣というものが、その形成の過程にあって、それらが生徒の前に立ちはだかって、他者との寛大で手早い触れ合いとコミュニケーションから生じる将来の学習を邪魔することになるからである。

訳注

ワン・オールド・キャット（one-old-cat）は、アメリカの植民地時代からのゲームで、野球の原型にかかわるとされる、子どもの棒切れでのボール打ち遊び。「キャット」は猫のことではなく、古代から中世にあった投石機キャタパルト（catapult）の略語である、といわれる（佐伯泰樹『ベースボール創世記』新潮社、一九九八年、佐山和夫『ベースボールと日本野球』中央公論社、一九九八年、参照）。

第五章　自由の本性

これまで言ってきたことをさらに繰り返す恐れを冒《おか》してまでも、あえて私は、社会的統制の問題の他の側面、すなわち自由の本性の問題について幾らか述べてみたい。永遠に重要である唯一の自由は知性の自由であり、すなわち、本来的に価値が備わっている目的のために観察や判断がなされる自由である。自由について最もありきたりの誤りは、私が思うには、自由を運動する自由とあるいは外的な身体的な活動の自由とを同一視することである。ところで、そのような活動の外的・身体的側面は、内面的な活動、すなわち思考や願望や目的の自由から分離することはできないのである。典型的な伝統的学校の教育では、据え付けられた机が配列されており、また規定された合図によってのみ移動することが許される生徒たちは、軍隊的に管理されている。そのような教室にみられる設備の固定的な配置によって、生徒の外面的な行動に加えられた制限は、生徒の知的・道徳的な自由に大きな束縛を与えた。教育上、窮屈な上衣で拘束したり、囚人たちを鎖につなぐような手続きは、それなくしては正常な連続的成長が保証されないという自由の知的な源泉のなかに、生徒個人の成長の機会があるというのであれば、廃棄されなければならないものであった。

しかし、外的運動の自由度が増大したからといって、それは「手段」であって目的ではないという事実は、依然として動かし難い。自由についてのこのような側面がわがものにされたからといって、ここに取り上げられてきている教育問題が解決されたわけではない。したがって、教育に関するかぎり、あらゆる事柄は、このような付加的な自由をどのように処理するかにかかっていることになる。この付加的な自由は、どのような目的に役立つのか。どのような結果が、その種の自由から出てくるのか。先ずはじめに、外的な自由が増大するにつれて、そこに潜在的にみられる利点について論じよう。第一に外面的な自由が増大するという現象がなければ、教師は実際問題として、自分が扱っている個々の生徒についての知識を得ることはできないのである。強要された静粛や黙従というものは、生徒たちが自分たちの真の本性を明示するのを妨げることになる。そこで生徒たちは、人為的な画一性をみせることが強いられるのである。そのように強要された生徒たちは、ありのままの存在としてではなく、そのまえに見せかけで繕《つくろ》うことになる。生徒たちは、気配りや礼儀正しさや服従という外的見せかけを保持するためにプレミアムをつけたりする。このような強要的なシステムが優勢である学校状況に精通している人なら誰でもが、この見せかけの背後で生徒たちが考えること、想像すること、願望を立てること、さてはずる賢い活動までが、それぞれ身勝手な進路をとっていることを熟知しているのである。そのようなことは、見せかけの背後にあるぶざまな行為が看破《みやぶ》られたときにのみ、はじめて教師の前に露呈されるのである。このように非常に人為的な状況を、教室外でみられる正常な人間関係、たとえばよき家族での人間関係と対照してみるだけで、つぎのようなことを知るべきである。そのことは、教育されているものと想定されている個々の生徒についての教師の知識と理解が、どんなにか致命的なものであるか、事の重大さを察知すべきであるということである。しかし、教師にこのような洞察がなくても、授業に用いられた教材と方法が、ある生徒個人にとって極めて適切なものに感じられ、その生徒の精神や性格の発達を実際に促しているというのであれば、それはまったくの偶然のなせる業にすぎないということになる。そこには悪循環がみられるのである。教科と方法の機械的な画一性は、一種の画一的な固定性を生み出すだけである。このことが教科とその復誦という画一性を永続化するという反作用をもたらすことになる。ところが、他方、この強制的な画一性の目に見えない背後では、個々の生徒は規則に反するような方向で、また多かれ少なかれ禁止されているやり方で行動しているのである。

外面的な自由度が増大していくさいのいま一つの重要な利点は、まさに学習過程の本質それ自体のなかに見いだされる。学習における受容性や受動性にプレミアムをつけるような古い教育方法については、すでに指摘しておいた。身体的に無活動な状態は、そういった古い教育方法の特性に対して、とてつもない大きなプレミアムをつけるのである。標準的な学校でそのようなやり方から逃れる唯一の途《みち》は、不規律な、おそらくは不従順な態度で学習活動をすればよいということになる。実験室や作業場では、完全な静寂はありえない。伝統的学校にみられる非社会的性格は、その種の学校が、静かにすることを基本的な徳の一つに挙げているという事実にみられる。もちろん、明らかに身体的な活動を伴わない強度の知的活動といったものもある。しかし、このような知的活動の能力は、それが長期にわたって継続されている場合には、比較的遅くなってから表われてくるものである。年少者にとってさえも、静かに反省するため、しばし合間の時間が必要である。しかし、この短い合間が、見た目に一段と明らかな活動に費やされた時間の後に続くとき、またこの短い合間が、頭脳のほかに手や身体の他の部分が使われるさいの活動の期間に獲得されたものを組織立てるために用いられるときにのみ、この合間が本物の反省の期間になるのである。運動の自由もまた、正常な身体的・精神的健康の手段として重要である。われわれは、今日なお、健全な身体と健全な精神との間の関係を明確に示したギリシア人の例から学ばなければならない。しかし、これまで述べてきたことすべての点からみて、外面的行動の自由とは、入念に選び出された目的を実施するさいに求められる判断や能力が自由に行使されるということである。外面的な自由度の分量は、個々人によって異なる。この種の自由は、成熟度が増すにつれて、自然に減少する傾向をみせる。とはいえ、その種の自由がまったく欠如してしまっては、個人が自分の知性それ自体をはたらかせるに必要とされる新しい教材との接触が、絶たれてしまうことになる。成長の手段としてのこの種の自由活動の量と質とは、発達のすべての段階において、教育者が携わらなければならない思索上の問題である。

しかしながら、このような外面的自由を、それ自体が目的であるとして取り扱うようでは、これ以上の大きな誤謬はない。そのようでは、秩序の正常な源泉であり、個人に分有されている協同活動が破壊されかねない。しかし、他面において、この外面的自由は、積極的にはたらかせるべき自由を転じて、なんらかの消極的なものへと変えられるのである。というのは、制限から解放される自由は、つまり自由の消極的な側面は、力である自由への手段としてのみ称賛されるべきものであるからである。その力は、目的を形成する力であり、賢明に判断する力であり、願望を実践したことからの結果によって願望を評価する力であり、選定された目的を実施する手段を選択し、秩序あるものにする力である。

自然的な衝動や願望は、どのような場合でも、その衝動や願望の発端を構成している。しかし、衝動や願望が最初に示された形態を、なんらかの形で再構成したり改造することなしには、知的成長はありえない。この改造は、最初の自然状態にみられた衝動を抑制することを必然的に意味する。外的に押しつけられた抑制に対応するものは、個人自身の反省と判断による抑制である。「止まって考えよ」という古くからの警句は、健全な心理学である。なぜなら、思考するということは、ある衝動が行動に移されるさい、他の行動もありうるという傾向に結びつけられて、一段と総合的で一貫した活動計画が形成されるまで、その最初の衝動を即時的に表明することを停止させることであるからである。衝動が行動へと移るさい、その移行のための客観的条件を観察するため、目、耳、そして手を用いるよう導かれるような傾向もみられる。また、衝動から行動への移行については、過去に起こったことを思い起こすようなことになるという傾向もみられる。思考することは、このようにして即時的に行動することを延期することになるが、同時に観察と記憶の結合を通じて、衝動の内的抑制に効果を挙げているのである。このような結合こそ、反省するということの精髄である。これまで述べてきたことは、「自制」という平凡な語句の意味を説明しているのである。教育の理想的な目的は、自制力の創造にある。しかし、単なる外的統制を除去したからといって、自制を産み出すうえでの保証にはならない。フライパンから火に飛び込むのはたやすいことである。換言すれば、外的統制の一つの形式から逃れて、いま一つのもっと危険な外的統制の形式を求めゆくのも容易である。知性によって秩序づけられていない衝動や願望は、偶発的な環境の統制下にある。即時的な気まぐれやむら気によって命令された行動を見つけるためにのみ他者の統制から逃れても、得るものよりも失われたものの方がはるにか大きいのである。つまり、衝動のまにまに左右されて、その行動に知的判断が入ってこないのである。このようなやり方で行動を統制されている人は、せいぜいのところ、ただ自由の幻想をもっているにすぎなく、実際のところ、そのような人は、自分ではどうすることもできない勢力に支配され導かれていることになるのである。

第六章　目的の意味

そこで、健全な本能によってこそ、目的を組み立て、その目的を効果的に実行に移す能力が自由に発揮できるようにと、自由と能力とが同一化されるのである。このような自由は、つぎには、自制と同一化されることになる。なぜなら、目的を形成しその目的を実施する手段を組織立てるのは、知性のはたらきによるからである。プラトンはかつて、奴隷を他人の目的を実行させられている人であると定義した。ちょうど先ほど述べたように、自分自身の盲目的な欲望のとりこになった者もまた奴隷である。伝統的教育においては、生徒の学業のなかに含まれている目的を構成するさいに、生徒が積極的に協力することが保証されていない。このことが伝統的教育の最大の欠陥である。そのことと同じように、進歩主義教育の哲学においても、学習過程で学習者の活動を導くような目的を形成するさいに、学習者が参加することの重要性が強調されてよい。そのように強調されること自体が、進歩主義教育の哲学が健全であるための要件である。このように私は思う。しかし、目的や目標の意味は、自明なものでも説明を要しないというようなものでもない。それら目的や目標の教育上の重要性が強調されればされるほど、その目的とは何か、その目的はどのようにして生じたのか、またその目的は経験のなかでどのように機能するのか、といったことを理解することが一段と重要になってくる。

正真な目的は通常初めには、衝動から起こるものである。衝動の即時的な実行が邪魔されると、その障害により衝動は欲望に変換されることになる。それでも、衝動も欲望もそれ自体では、教育上の目的にはならない。目的とは目論まれたもの、つまり終局への見通しである。すなわち、目的には、衝動にははたらきかけることから生じる結果を見通すことが含意されている。結果の見通しには、知性の作用が含まれる。知性の作用には、第一に、客観的条件と環境とを観察することが求められる。というのは、衝動と欲望はそれ自体で結果を生むことはできなく、周囲の状況との相互作用や協同によってのみ、結果というものが生み出されるからである。歩くというような単純な行動への衝動は、人が立っている地面と能動的に結びつくことによってのみ、はじめて実行に移されるのである。ありふれた環境のもとでは、われわれは地面についてたいした注意を払ってはいない。しかし、たとえば、人跡のない険しくでこぼこな山を登るような、困難な名状し難い状況のもとでは、そこにみられる条件がどのようなものであるかについて、極めて注意深く観察しなければならなくなる。したがって、観察したことを実行に移すということは、衝動を目的に転換させるための一つの条件である。鉄道の踏切での合図のように、われわれは立ち止まって、よく見て、よく聞かなければならない。

しかし、観察だけでは十分ではない。われわれは、見るもの、聞くもの、触れるものが何であるか、その「意味」を理解しなければならない。この意味は、見られたものが実践に移された場合に生ずる結果から成り立つものである。赤ん坊は焔《ほのお》の輝かしさを「見て」、それに魅惑されて手をのばすかもしれない。ところで、焔のもつ意味は、その明るさにあるのではなく、焔に触れることから生じる結果として火傷《やけど》させる力にある。われわれは以前の経験によってのみ、結果がどうなるのかに気づくことができるのである。われわれは以前からの多くの経験をもっており、それらを熟知している場合には、われわれはこれらの経験が何であったのかを思い出すために、立ち止まる必要はない。焰は熱いことや火傷になるといった以前の経験を、とり立てて思い出し考えなくても、光や熱を意味するものであることが、われわれにはわかっているのである。しかし、そのように熟知していない場合には、心の中で過去の経験を入念に調べることをしないでは、また過去の経験を反省して、そのなかに現在の経験に似ているものを見定めることによって、現在の状況において期待されうるものは何かについての判断力を形成していかないようでは、われわれは観察された条件の結果がどうなるか、それについて語ることはできない。

このようなわけで、目的の形成はすんなりとなされるのではなく、むしろ複雑な知的作用としてなされるのである。その作用には、つぎのような知識や能力が含まれる。(1)周囲の状況の観察、(2)過去の似たような状況で起こったことについての知識、その一部分は回想によって得られた知識、また一部分は広い知識をもった人からの情報・忠告・警告から得られた知識、(3)それら得られた知識が何を意味するのかを理解するため、観察されたものと回想されたものとを結合する判断力。ところで、目的が初源的な衝動や欲望と異なるのは、最初の衝動や欲望がある一定の確かな方法で観察された条件のもとで行動に移されていくのであるが、その行動の結果を見通しての計画や方法に転換されるからである。「願望が馬であるなら、乞食でも乗るだろう」。あるものに対する欲望は強烈なものであるだろう。欲望は、それに従って行動がなされようとするのであるが、その行動の結果を推定することができないほど、つまりその結果への見通しが立たないほど強烈なものである。このようなことが起こるからといって、教育上の模範を提供すればそれでよいといってすまされるものでもない。そこで切実なものになってきた教育問題は、欲望に即応するような行動をとらず、そのまえに観察と判断がはいり込むまで、初期の欲望を延期するだけの能力を身につけさせるという問題である。私のいうことが間違っていないとすれば、この点は進歩主義的学校の運営にとっても、間違いなく適切なことである。知的活動を強調することに代わって、活動は目的であるとして活動を過度に強調することは、自由が衝動や欲望の即時的実行と同一視されてしまうことになる。このような同一視は、衝動が目的と混同されることになり、正当化されてしまう。まさにいま述べてきたとおり、衝動を実行に移すさいに予想される結果に対する見通しが立つまで、公然と行動に訴えるのを延期しないのであれば、そこにはなんらの目的もみられないのである。そのような見通しは、観察、情報、そして判断のないところでは不可能である。単なる先見は、たとえそれが的確な予言のかたちを採っていても、もちろんそれだけでは十分なものとはいえない。知的な予想や結果というアイディアは、衝動や欲望を目的へと移行させていく動力を獲得するためには、衝動や欲望と混ぜ合わされなければならない。そうすると、欲望は、そうでなかったなら盲目的なものへと方向づけられることになる一方、欲望は、アイディアを刺激し、それに推進力を与えることになる。そこで、アイディアは達成されるべき活動のなかにある計画や、またあるべき活動のための計画になってくるのである。ある人が、たとえば家を新築することによって、新しい家庭を安全なものにしたいという欲望をもっていると仮定してみよう。その人の欲望がどんなに強力なものであっても、それは直截には実行されえない。その人は自分の欲しい家について部屋数やその配置などをも含めて、どのような種類の家を望むのかについてのアイディアを形成しなければならない。その人は計画を図面に描かなければならない。そして、青写真や仕様書を作らせなければならない。すべてこれらのことは、ちょうど在庫品を調べるように自分のもっている資源をよく吟味しないでなされるようでは、それらは暇なときの当てにもならない慰みにすぎないことになる。その人は、その計画を実施するにふさわしい資金や有利な融資の条件が整っているかどうかの関係について、じっくり考えなければならない。その人は家を建てる用地とその価格はどうか、自分の職場との近さはどうか、隣人とは気が合うかどうか、学校への距離はどれくらいか、といったようなことについて調査しなければならない。ここに数え上げたすべての事項、すなわち、その人の支払い能力、家族の構成やその必要度、建築可能な場所などといったもののすべては客観的事実である。それらの事実は、最初に抱いた欲望のなかの一部分ではない。しかし、それらの事実は、欲望が目的に変換され、目的が行動の計画へと転換されるために観察され判断されなければならないのである。

欲望をもたない人は一人もいない。われわれが少なくとも、まったく病的なまでに無気力になっていなければ、われわれすべての者は欲望をもっていることになるのである。これらの欲望は、行動への究極の動的源泉である。専門的事業家は自分の事業で成功したいと願い、将軍は戦闘での勝利を願い、親は自分の家族が快適な家庭をもち、そこで子どもたちを教育することを願うといったように、その願いは際限なく続いていく。欲望の強さは、そこに発揮される努力がどれほど強靭なものであるかの程度によって測られる。しかし、欲望は、それが実現されるであろう手段にまで転換されないかぎり、虚しい空中楼閣にすぎない。そこで、「いかに速やかに」という問題、つまり手段にかかわる問題は、予想された想像上の目的に取って代わって扱われることになる。というのは、手段は客観的なものであるから、もし真の目的が形成されるべきであるというのなら、その手段は綿密に検討され理解されていなければならない。

伝統的教育は、個人的な衝動や欲望が、行為の原動力として重要性のあることを無視しがちである。しかし、もし生徒は自分たちを活動的なものにしてくれる目的の形成を共有すべきであるというのであれば、進歩主義教育が衝動や欲望と目的とを同一視したり、またそのことによって、状況の注意深い観察や広範にわたる情報や判断力の必要性を軽視してよいという理由にはならない。「教育的」な計画においては、衝動や欲望が起こるからといって、それが最終的な目的にはならない。それは活動の計画や方法を形成していくうえでの契機であり、またそのような形成を要請するものであるにすぎない。繰り返し言うが、このような計画は状況の綿密な検討によってのみ、また適切な情報すべてを確保することによってのみ、形成することができるのである。

教師の仕事は、衝動や欲望が生じるや、それを好機に利用する点を見定めることである。自由は、目的が発展するさいに、知的な観察と判断とがはたらいているところに存在するので、生徒が知性を実地にはたらかせることができるよう、教師によって与えられる指導は、生徒の自由を制限するものではなく、むしろ自由を助長するものである。教師には、集団の成員としての生徒が何をなすべきであるかについて示唆することさえ、ためらうきらいがみられるのである。子どもたちが事物や教材に取り囲まれているままに、まったく置き去りにされ、教師はその教材によって対処しうるものは何かについて示唆することさえ、生徒の自由を侵害するのではないかとためらっているのである。私はこのような事例を幾つも聞いている。それでは、教材はあれこれと示唆することの源泉であるのに、どうして教材が供給されてよいのかということになる。しかし、さらに重要なことは、生徒が行動することに与えられる示唆は、いずれにせよ、どこからか来なければならないということである。どうして、多大な経験と広範な視野をもつ人からの示唆は、多かれ少なかれ、偶発的な出所からの示唆よりは、少なくとも有効ではないというのであろうか。それは理解に苦しむというものである。

もちろん、この教師の職権を乱用して、生徒の活動を、生徒の目的というよりは教師の目的を表明している方針に強制的に追い込むことは可能である。しかし、このような危険を避ける方法として、おとなを子どもから全面的に撤退させればよいというのではない。この方法は、第一には、教師は自分が教えている生徒の能力、要求、過去の経験について、知的に気づいていなければならない。第二には、集団の成員である生徒が役割を分担し、一つの全体へと更なる貢献がなされ、組織立てられていくような示唆によって、その示唆を教育の計画や企画にまで発展させようとすることである。換言すれば、計画というものは協同事業であって、指図ではないのである。教師による示唆は、鋳物に成るようにするための鋳型ではなく、学習過程にひたすら従事してきたすべての経験からの貢献をとおして計画にまで展開されるべき出発点なのである。その意味での展開は、互恵的な「与え―受け取る」(ギブ・アンド・テイク)ことを通して生起するものであり、教師は受け取りもすれば与えもすることをためらうものであってはならない。要点は、目的が社会的知性の過程を通じて成長し、形成されるということにほかならない。

第七章　教材の進歩主義的組織化

　これまで、経験のなかに含まれている客観的条件について、またその条件が更なる経験がより豊かに成長するよう促進させるのか、それが失敗をもたらすのか、といったような機能について、幾度となく言及してきた。暗黙のうちに、これら客観的条件は、観察、記憶、他から入手された情報、あるいは想像などいずれによるものであろうと、教科や学習における教材と同一視されてきた。そのことをもっと一般的に言うと、経験の客観的条件と教科の課程の材料とは同一のものであるとみなされてきたのである。しかしながら、これまでのところ、教材とはこのようなものであるなどとは、明確には述べてはこなかった。ここではそのことを主題にして、これから議論をはじめよう。教育が経験として考えられるようになると、一つの考え方が際立って明らかになってくる。教科と呼ばれるものは、算数、歴史、地理、あるいは自然科学の一つであれ、どのようなものであってもその発端は、日常の生活経験の範囲内にある材料から引き出されなければならないものである。この点で、新しい教育は、教えられる生徒の経験の範囲外にある事実と真理から出発するという教育の進め方、したがってその事実と真理を経験のなかに取り込む方法と手段を見つけ出さなければならない、という問題をかかえている場合の教育の進め方とは、際立って対照的である。初等教育の初期の段階では、より新しい教育方法が大きな成功を収めているが、その主な理由の一つは、疑いもなくこれと正反対の原理を遵守したからであった。

しかし、経験の内部に学習のための教材を見つけ出すことは、新しい学習の最初の段階にすぎない。つぎの段階は、経験されたものをより豊かに一段と組織化された形態へと進展させることである。つまり教材が熟練し成熟した人に提供されるかたちに、次第に近づいていく形態への進歩主義的発展である。このような変化が、教育と経験との有機的な結合から遊離することなく可能であるというのは、この種の変化が学校での形式教育から離れて、学校の外部で起こっているという事実によって示されている。たとえば、幼児は空間的にも時間的にも極めて限られた事物から成る環境のもとで生活を始める。この場合の幼児の環境は、学校教育からの支援とは無縁に、経験それ自体がもつ固有の推進力によって、着実に拡大するものである。幼児が手を伸ばし、這い、歩き、話をすることを学んでいくにつれて、その経験のなかに本来的に含まれている教材は広がり深まるのである。経験の本来的な教材は、新しい能力を喚起する新しい事物や出来事と結びつくようになると同時に、これら新しい能力の行使により、経験の内容は洗練され拡大されるのである。そこに、生活の空間と生活の期間が拡大されるのである。環境、経験の世界は、絶えずより大きく成長し、いわばそれはより厚みが増してくることになるのである。このような時期の終わりに子どもを受け入れる教育者は、「自然」が子どもの初期の年月に成し遂げたことを、意識して念入りに実行する方法を発見しなければならない。

すでに特定するかたちで述べた二つの教育的条件の最初の条件、すなわち教育は子どもの経験外の事実と真理から出発するという教育的条件を正当なものとして主張する必要はまったくない。教授するということは、学習者がすでに具備している経験からはじまるということ、およびその経験が推移していく過程に発展させられてきた更なる経験と能力が、すべての将来の学習の出発点を提供するということである。この点こそ、教育における新しい学派の主要な教訓なのである。いま一つの教育的条件、つまり経験の成長をとおして、教科は拡大され組織立てられていくことが秩序整然となされていくという、教科の発展条件が大いに注目されているが、そのことについて、私はそれほど確信のもてるものではないと思っている。だが、教育的経験が連続するという原理からすると、教育上このような経験が教科を拡大し組織立てるという側面にみられる問題点の解明にも、同等の思索をめぐらし注意が払われることが求められているのである。疑いなく、この問題の局面は、他のそれとは違って、解明の困難なものである。就学前の幼児や幼稚園児や小学校の低学年の男女児を扱う人たちにとっては、その子どもたちの過去の経験の範囲を決めるうえで、また過去の経験と根源的に結びついている活動を見つけ出すうえでは、それほどひどく困難なことにはならない。ところが、いま問題にしている二つの教育条件としての要素は、年長の子どもたちに当てはめようとすると、問題をますますむずかしくしては、それを教育者に投げかけているのである。年長の子ども個人の経験の背景を見いだすことは困難なことであり、また経験のなかにすでに含まれている教材がどうしたらさらに拡大され、より適切に組織立てられた領域へと導かれるよう、指導されるかを見つけ出すこともまた困難なことである。

経験をこれまでとは異なったものへと導く原理があって、生徒たちがすでに慣れている事物を、熟達したやり方でいとも気楽にやり遂げていることをよく確かめもしないで、何か新しい経験が生徒たちに与えられれば、それでその原理は適切に充足されるものと想定されるようでは、それは誤りというものである。また、新しい事物や出来事がそれ以前の初期に経験した事物や出来事に知的に関連させられることとは、本質的なことである。そして、このことは事実と観念との意識的な連接において、ある種の進歩がみられたことを意味する。こうして、現在経験している範囲内で、観察と判断についての新しい方法を刺激し支援することによって、さらに継起する経験領域を拡大するという新しい問題が提起されることになる。また、そのようになることが約束されるという可能性がもたれるのである。これら約束と可能性を有する事物を選択することこそ、教育者の職務になるのである。教育者は、生徒がすでに獲得しているものに対し、固定されている所有物としてではなく、現有している観察能力と記憶の知的利用能力に、新たに要求される新しい領域を拓《ひら》くような手段や道具として、絶えず注意を払わなければならない。成長における関連性こそ、教育者の不断の合い言葉でなければならない。

教育者は他のどのような職業人よりも、遠い将来を見定めることにかかわっているのである。医者は患者の健康を回復させたら、自分の仕事が果たされたと思うであろう。医者は患者に将来同じような患いにならないよう、それを避けるにはどうしたらよいかについて、アドバイスする義務をもつことは疑いないことである。しかし、結局は、患者の生活行動は、患者自身の事柄であって、医者の事柄ではない。ここでのもっと重要な論点は、医者が自分の患者の将来について、指導したり忠告したりすることに熱中しておれば、そのかぎりでは医者は教育者としての職能を遂行していることになる。弁護士は訴訟に勝つことだけに専念し、また依頼人が陥っている事件の紛糾からその人を救済することに熱中する。もし弁護士が自分に依頼されている訴訟事件を超えて依頼人にかかわっていこうとすれば、その弁護士もまた教育者になるであろう。教育者は、自分の仕事の性質そのものから、自分のしている現在の仕事を、その目的に関連づけられている将来のために、何が成し遂げられるのか、あるいは失敗するのは何かといった見地から見定めなければならないのである。

ここでもまた、進歩主義的教育者にとっての問題は、伝統的学校の教師よりも、いっそう困難なものになるのである。伝統的学校の教師もまた、実際には将来に向かって前方を見定めなければならなかったはずである。その教師が自らの人格と情熱を傾けて、伝統的学校が張りめぐらしている垣根を越えていかなければ、その教師はつぎに来たるべき試験の時期のことや、次学年への進級のことに気をとられることだけで、自らを満足させることができた。伝統的学校の教師は、因襲的に存続してきた学校制度が要求する枠内に存在する要因の観点から、将来を予想し把握することができたであろう。教育と実際の経験を結びつけようとする教師には、本気で立ち向かうべき困難な仕事が、当然の責務としてかかってくる。その教師は、すでに持たれた経験に属する新しい経験領域に生徒を導き入れるだけの能力が自分には潜在していることを自覚していなければならない。また、教師はこのような知識を、生徒たちの現在の経験を左右する条件として選び出し、それを整理するための基準として利用しなければならない。

伝統的学校の教科は、青少年の将来にいつかは役立つであろうという、成人の判断に立って選択され整理されている教材から成り立っているので、学習されなければならない教材は、学習者の現在の生活経験の外部で設定されたものである。その結果、教材は過去のものを取り扱わなければならなかった。教材は過去の時代では、当時の人びとには有用であることが証明されたものであった。それに対する反発——それは不幸にして、反発する人のおかれた環境からすると、おそらく無理からぬことであるが——からつぎのようなゆがめられた極論がもたらされた。教育は現在の経験から引き出されるべきであり、学習者には現在と将来の問題を処理しうる能力をつけさせるべきであるという健全な考え方が、しばしば進歩主義的学校ではおおいに過去を無視することができるのだ、という考え方に変換させられてきた。もし現在が過去から切り離すことができるというなら、前述したように過去を無視するという結論は、確かに正常なものであると言えよう。過去に達成されたものこそ、現在を理解するための自由が保障される唯一の手段を提供するものである。個人が自分自身であることを見いだすための条件を理解するには、自分自身の過去の記憶を引き出さなければならない。そのことと同様に、現在の社会生活上の争点や問題は、過去と密接かつ直接的に結びついているので、生徒は自分たちの過去における根源を探究しないようでは、社会生活上の諸問題を処理するだけの最善の方法を理解するようには、心構えすらできていないことになる。換言すれば、学習の目的は将来にあって、そのための直接の教材は現在の経験にあるという健全な原理は、現在の経験が、いわば後方にさかのぼり伸びている程度に応じてのみ、有効にはたらくことができるのである。経験はまた、それが過去に拡大されていく程度だけしか、将来に拡大することができないのである。

もし時間をかけることが許されるなら、現在の世代が将来において直面せざるをえない政治・経済的な問題について議論したい。そうすることで、前述したような一般的な言明は確かなものになり、また具体的なものになるだろう。これらの論点の本質は、その問題がどのようにして生じたのか、われわれがそれを知らないかぎり理解することができない。現存し、現在の社会悪や社会混乱を引き起こしている制度や習慣は、一夜にして生じたものではない。制度や習慣はその背後に、それ相応に長い歴史をもっている。それら制度や習慣を、現在において明確であるものに基づいてのみもっぱら取り扱おうとするやり方は、結局は現存する問題をよりとげとげしく尖鋭化してしまったり、いっそう解決困難なものにしてしまうような、皮相的な方法を採らせてしまうことになる。過去を断ち切って、現在だけの知識に基づいて組み立てられた方策は、個人的な行動にみられる軽率で無思慮な身勝手なやり方に対応するものである。過去を目的それ自体に仕立てた学校教育体系から逃れる方法は、現在を理解する手段として、生徒を過去に親しませるようにすることである。こうした問題が解決されていかないうちは、教育上の理念と実践にみられる現時の衝突は、継続されていくであろう。一方では、教育の主要な仕事は、それは唯一のものではないにしろ、文化遺産の伝達であると主張するような、反動的なものであるということになるだろう。また、他方では、教育は過去を無視して、現在と未来だけを取り扱うべきであると主張する人たちも存在することになるであろう。

現在に至ってもなお、進歩主義的教育における最大の弱点は、知的教材の選択と組織化に関係しているといわれるが、このように言われるだけの現時の環境のもとでは止むをえないことのように、私には思えてならない。このようなことは、ちょうど旧い教育の主要素を形成していた、こま切れで無味乾燥の教材から自由になることこそ当然であり、また正当であるとされるのと同じように、止むをえないことである。それに加えて、経験の領域は極めて広く、また場所と時間によっても、経験内容は異なっている。すべての進歩主義的学校にとって、単一の教育課程というものは問題外のことである。それは、生活―経験との結合という根本原理を放棄することを意味することになるだろう。そのうえ、進歩主義の学校は新しいものである。この種の学校は発展しはじめてから、ほとんど一世代も経っていない。したがって、教材の選択や組織化についてみると、ある程度の不確実な面や曖昧さはあらかじめわかっていたことである。このことは、進歩主義の学校に対する根本的な批判や苦情の理由にはならない。

しかしながら、進歩主義的教育を進行させている運動が、教科や学習のための教材の選択と組織化の問題こそ、その運動の根本的な問題であることを認識できないようであれば、そのときこそ批判はもっともなことになるであろう。特別な場合に役立つような即興によって、教授と学習が紋切り型になったり、生気のないものになることが防がれるのである。しかし、教科の基礎的な教材は、粗雑なやり方で拾い上げられるようなことがあってはならない。教材は、予知されないまた予知することのできない場合は、知的な自由があるところにはどこにでも発生するものである。そのような場合は、有効に使われるべきである。しかし、そのような場合を活動の連続的な発展方向で利用することと、学習の主要な教材を提示するためにそのような場合に頼ることとの間には、決定的な違いがみられるのである。

そこに与えられた経験が、あらかじめよくわかっていなかった領域に導かれていかないかぎり、そこには何の問題も生じない。ところが、他方、問題が生じると、その問題は思考することを促す刺激になる。与えられた現在の経験のなかに見いだされる経験条件を、このように思考を促すという問題を生じさせる源泉として利用するべきであるという考え方は、経験に立脚する教育の、伝統的教育から区別するうえでの特徴を示している。というのは、後者においては、その問題は外部からあてがわれるからである。とはいうものの、成長するということは、知性の行使によって克服しなければならない困難さを現に伴っているという状況に依存しているのである。繰り返し言うと、以下のような二つの事項を同じように調べ確かめることが、教育者に課せられた役割なのである。第一に、この問題は現時点でもたれている経験の条件から起こり、それは生徒の能力の範囲内にあるということである。第二に、問題は学習者の内面で新しい考え方が形成され産出されるために、積極的な探究を生じさせるということである。こうして獲得された新しい事実や新しい考え方が、やがては新しい問題が提示されてくる更なる経験の基礎となる。このような過程では、経験が螺旋《らせん》状に連続しているのである。現在が過去と分かち難く連関していることは、歴史という教科にかぎって適用される原理ではない。たとえば、自然科学を取り上げてみよう。現代の社会生活は、極めて広範囲にわたっての、物理科学の成果が適用された結果のおかげで成り立っているのである。すべての子どもと若者の経験は、都市であろうとも田舎であろうとも、その現在の実状において、電気や熱や化学的化合過程を利用するという応用がなされるゆえに存在しているのである。子どもは、食事が準備され、それを消化するにさいして、化学的で生理学的な原理を含んでいないような食事をとることはない。子どもは科学が発生させた作用や過程と接触をもたないようでは、人工的な光のもとで読書をしたり、自動車や汽車に乗ったりすることはない。

生徒は科学的教材に引き合わされるべきであり、その教材のもつ事実と法則が、日常の社会生活になじんだかたちで応用されるよう、その手ほどきがなされなければならない。このことこそ、健全な教育的原理というものである。この方法を遵守することは、科学それ自体を理解するうえでの最も直接的な方途であるばかりではなく、生徒たちが成熟するにつれて、現存する社会の経済的、産業的な諸問題を理解するうえで、最も確かな方途である。というのは、これらの問題は、物品やサービスを生産し分配することにおいて、極めて大がかりな科学的応用の産物だからである。しかも生産と分配の過程は、人類や社会集団にとって、現存する相互関係を決定するうえで、最も重要な要素である。そこで、実験室や調査研究所で研究されているものと同様の過程は、年少者の日々の生活経験の一部ではなく、したがって経験に基づく教育の範囲には入ってこないと主張するのは、愚かなことである。未成熟な者が、成熟した専門家が研究するような方法で、科学的な事実や原理を研究することができないことは言うまでもない。しかし、この事実は、教育者は、学習者が現在の経験を利用し、そこに事実や法則を抽出させながら、科学的な理法を経験させるよう徐々に導くという責務が免除されるどころか、教育者にとっての主要な問題の一つを設定しているのである。

というのは、現在の経験が詳細かつ広範にわたってなされるのは、科学によるその応用の賜物であるからである。その応用の第一には、物品やサービスの生産と分配の過程に対する科学の適用があげられ、つぎには、人間が社会的に相互に支え合って生存する関係に対する科学の適用をあげることができるだろう。以上述べたことが真実であるならば、学習者が経験の最終的な組織化において、科学を構成するうえでのまさに同じ事実や原理に関する知識に導かれるような教育を離れては、現存する社会力（それなくしては人間は抑制もされなければ、指導もされない）を理解することは不可能である。ところが、学習者は、科学的な教材を熟知するよう導かれるべきであるという原理が重要であるからといって、現在の社会問題についての洞察をやめてよいというわけではない。科学の方法は、また、それによってよりよい社会秩序が実現できる方策や政策への方途を示しているのである。いま存在している社会的条件の大半を生み出してきた科学の応用力は、科学的な応用の可能な領域を覆い尽くしているのではない。というのは、これまでのところ、科学は、多かれ少なかれ、偶然にか、または前科学時代の制度からの遺産である私的な利益や権力というような目的のもとに、応用されてきたにすぎないからである。

　われわれは、ほとんど毎日のように、また多くの情報源から、人類の公共生活を知的に導き築くことは不可能であると知らせられている。われわれは、一方では、人間関係が国内的にも国際的にも複雑であり、他方では、人類はあまりにも感情的で習慣的な生物であるという事実が、大規模な社会計画や知性による指導を不可能にしていることも聞かされている。このような見解は、もし体系的な教育的な努力が初期の幼児教育とともに始まり、それが青少年へと継続される学業や学習を通しておこなわれていくような教育的な努力が、科学に例示されるような知的な方法を教育における最高のものにするという見解と共に始まっていたというのであれば、もっと信用のおけるものになっていたであろう。習慣のもつ固有の本性には、知的方法がそれ自体習慣になることを妨げるようなものは何もない。また、感情の本性には、知的方法に強度に情緒的な忠誠心をつのらせることを妨げるものは何ひとつない。

ここに科学の事例が、現在の経験に内在している教材を組織化するさいに、その教材を進歩主義の立場から選択することの必要性を例証してくれるのである。その場合、教材は生徒の経験それ自体の成長と一致しているため、教材の組織化は自由なもので、外部から押しつけられたものではない。教材が学習者の現在の経験のなかで、科学的なものになるようにと見いだされ利用されることの効用は、つぎのように言えるであろう。学習者の科学に向けられる現在の生活経験に見いだされる教材を利用することは、恐らくは学習者を、教育的成長が始まるとされる経験の中に見いだされる世界よりも、自然的にも人間的にもより広く、はるかに洗練され、より適切に組織された環境的世界へと導いていく手段として、現行の経験を利用するという基本的原理に見いだされる最適の説明となるであろう。ホグベンの近著『百万人の数学』は、もし文明の鑑として、文明の進歩を表わす主要な代理行為として扱われるならば、数学は自然科学と同様に望ましい目標に対して、どんなにか確な貢献をしうるものであるかを示していることになる。どのような場合でも、基底にある理念は、知識を進歩主義的に組織化するという理念である。知識の組織化に関して、われわれは、「あれかこれか」といった哲学が、現在ひどく尖鋭的にはたらいていることに気づいているが、そのことは否定できないであろう。言葉では多くが語られていないとしても、実際には伝統的教育は、知識の組織化という概念に立脚するということになると、それは、生きた現行の経験をほとんど軽蔑してきた。したがって、他方、生きた経験に基礎づけられた教育では、事実や理念を組織化することを軽視してもかまわない、といった主張がよくなされていたのである。

この論述のすぐ前に、私がこの種の組織化を一つの「理想」と呼んだときに、私が意図し言いたかったことは、消極的な側面において、教育者はすでに組織立てられている知識から出発して、それを柄杓《ひしゃく》で適量を汲み出し続けることはできないということであった。しかし、事実や理念を組織立てていく積極的な過程は、常に現存しているという意味での教育過程なのである。どのような経験も、より多くの事実にかかわる知識やより多くの理念を受け入れたいという傾向と、その事実や理想をより適切に、さらに秩序立てられた配置へと整理していく傾向の両方をもたないようでは、教育的なものであるといえたものではない。組織化は経験とは無縁の原理であるというなら、それは真実ではない。そうでなければ、経験は拡散して、混沌としたものになるだろう。幼い子どもの経験は、まわりの人たちと家庭を中心になされるものである。家族関係における正常な秩序が乱れていることは、その子どものその後年の心的ならびに情緒的な疾患を生み出す温床になっているが、そのことは今日では精神科医によって知られている。このことは、この種の組織化が現実性をもっていることを証明する一つの事実である。幼稚園や小学校低学年という初期の学校教育でみられる大きな前進の一つは、教育における重心の旧《ふる》い暴力的なものへと移行することに代わって、経験の組織化が社会的、人間的なものを中心になされることを保持していることである。しかし、教育の際立った問題の一つは、音楽におけるように、調整という問題である。教育の場合においては、調整とは、社会的・人間的中心から、組織化がより客観的で知的な計画へと向かう運動を意味する。しかしながら、知的組織化はそれ自体が目的ではなく、それによって社会関係、独特な人間的な繋がりや結合力が理解され、一段と知的に秩序づけられる手段を意味するのである。

教育が理論においても実践においても、経験に基礎づけられるとき、成人および専門家により組織化された教材は、教育の出発点を準備し供給することができないことは、言うまでもないことである。それにもかかわらず、そのように組織化された教材は、教育が絶えず継続的に進行していくさいの目標を表わすのである。知識の科学的組織化の基本原理の一つが、原因―結果の原理であることは、ほとんど言う必要もないであろう。この原理が科学の専門家によって把握され、定式化されるやり方と、年少者の経験のなかでその原理へのアプローチがなされるやり方とは、大いに異なっていることだけは確かなことである。しかし、その「原理」と経験との関係にしても、その関係の意味を把握するにしても、そのことは幼い子どもでさえ経験とは無縁なものではない。二、三歳の子どもは、あまりにも近く火に近づくべきではないことを学び、また暖をとるために十分なだけストーヴを引き寄せることを学ぶとき、その子どもは、その因果関係の「原理」を把握し、それを利用していることになるのである。このような関係の要求するものに従わないような知的活動はありえない。しかもその関係にただ従うだけではなく、さらに意識的に精神のなかにその関係が生起してくる程度に応じて、その子どもの活動は知的になされているのである。

経験の初期の形態にあっては、因果関係はそれ自体が抽象的には提示されないで、目的達成のために用いられた手段とその結果との関係の形態で提示されるのである。判断力や理解力の成長は、本質的には目的を形成する能力と、それを実現させるための手段を選んだり、整理したりする能力が成長するということにほかならない。年少者の最も基本的な経験は、手段―結果の関係の事例で満ちあふれている。料理された食事、使われている照明の電源などはこの関係を例証しているのである。教育における厄介なことは、因果関係が手段と結果の関係で例証されるような状況が欠如していることではない。しかしながら、経験の与えられた事例において、その因果関係を学習者に把握させようとして、状況を利用することに失敗することが、あまりにも当たりまえのこととしてありすぎる。論理学者は、手段が目的との関係において選択され、組織化された操作に、「分析と総合」と名づけている。

この原理は、学校教育に「活動」を利用する理由について、究極の根拠を決定する。学校におけるさまざまな活動的な仕事（オキュペイション）を導入するよう要請しながら、他方では、知識や理念を進歩主義的に組織化する要請を批難することくらい、教育にとって馬鹿げたことはない。知的活動には、現存している多様な活動の条件からの手段の選択――分析――と、意図的な目的や目標に到達するための手段の調整――総合――が含まれるという事実によって、知的活動は、無目的な活動とは区別される。学習者が未成熟であればあるほど、ますます展望として目論まれている目的は単純なもので、そこに用いられる手段もまた、初歩的なものであることは明らかである。しかし、手段に対する結果の関係を認識するという見地からすると、活動の組織化の原理は、極めて幼い者に適用されてよいのである。そうでなければ、活動というものは盲目的なものになってしまい、およそ教育的なものではなくなってしまう。成熟度が増すにつれ、手段の相互の関係の問題はいっそう切実なものとなる。知的な観察が、目的に対する手段の関係から手段相互の関係のより複雑な関係の問題へと移行されていく程度に応じて、原因と結果という考え方が顕著になり、明確になるのである。学校における作業室や台所などが決定的に正当化されるのは、それら施設が生徒に活動の機会を提供しているだけの理由によるのではない。それらはまた、生徒たちを目的と手段との関係に参加させ、やがて事物が相互に作用し合って、確定的な結果を産み出す方法を考察するように導くからである。また、そのように生徒たちが導かれるような種類の活動の機会、あるいは生徒たちが機械的な熟練を習得する機会が提供されるからである。このことは、科学的研究において実験室が置かれる理由と、原理的には同じものである。

経験の知的な組織化の問題が経験の基礎のうえで解決しないのであれば、その組織化の方法は外部から押しつけられるという反動が間違いなく起こってくるのである。すでに、このような反動の兆しの証拠がみられる。われわれの学校は、その新旧を問わず、共にこのような主要な課題の解決に失敗している、と言われている。われわれの学校は、批判的な識別の能力や推論する理性の能力を発展させていない、と言われている。思考する能力は、雑多な不消化な知識の累積によって、また実業や商業の世界でただちに役立つような熟達した様式を習得させるような企てによって、抑え込まれている、とも言われている。これら害悪は、科学の影響を受けて生まれたものであり、また過去からの検証ずみの文化遺産を犠牲にして、現在要求されるものだけを過大視することから生じている。このようにも言われている。科学とその方法は、従属的な地位におかれるべきであると主張されている。また、われわれは、年少者が吹き過ぎゆくいかなる風潮にも左右されることなく、彼らがもつ知的・道徳的生活のなかに確実に投錨することができるようにと、改めてアリストテレスと聖トマスの論理学に示された論理の究極的第一原理に帰らなければならない、と主張されているのである。

もし科学の方法が、学校でのすべての教科の日々の課業に一貫してまた連続的に適用されていたならば、私はこのように感情に訴えることによって、現在の私が感じている以上に、感銘を受けていたことであろう。もし教育が目的なく漂流してはならないというのであれば、教育はそのうちのいずれかを選ばなければならないという二者択一的なものであることを、私は心底認める者である。その一つは、科学的方法の発達する以前の数世紀にわたって生じていた知的方法と理念へと、教育者を回帰させるよう勧誘する企てによって表明されている。このような訴えかけは、経済上のことはもとより、情緒的にも知的にも一般的な不安がおびただしく広まっているときには、一時的には功を奏するかもしれない。というのは、このような不安な状況のもとでは、定着している権威に寄りかかりたいという願望が積極的にはたらくからである。とはいうものの、その願望は近代生活が成り立つすべての条件とはかけ離れているので、この方向での救済を求めるのは愚かなことであると私は信じている。二者択一のいま一つの選択肢は、経験に固有な潜在能力による知的探究と知的開発という思考の様式と理念としての科学的な方法を、体系的に利用しなければならないということである。

このように論じてきたことに必然的に含まれてきた問題は、ここにおいて特有の説得力をもって、進歩主義的学校のもとに戻ってくることになるのである。経験の知的内容の発展に対して、また事実と理念の絶えず増大する組織化を手に入れていくことに対して、不断に注意を払うことに失敗することは、却って単なる知的・道徳的権威主義に向かって、反動的に回帰する傾向を強めることになるにすぎない。現在は科学的な方法の組織的な探究のための時間でも場所でもないのである。しかし、科学的な方法にみられる一定の確かな特徴は、経験に根ざしたものであれば、どのような教育計画とも密接に結びついているので、科学的な方法のそのような特徴には注目しておかなければならない。

第一に、科学における実験的方法には、他の方法よりも、考え方としての理念に対して、少なからず、否はるかに多くの重要性がおかれるのである。行動がある指導的な理念によって導かれるのでなければ、科学的な意味をもつ実験などというものはありえない。実験に用いられる理念が仮説であって、究極の真理ではないという事実こそが、なぜ考え方としての理念が、他のどのような場合よりも科学によって一段と油断なく見守られ、検証されるのかという理由の根拠になっているのである。理念が第一の真理それ自体であると容認された瞬間に、その理念を周到に検査するどのような理由もなくなってしまうのである。理念が固定された真理として受け入れられなければならないとなると、これまで問題にしてきたことは、それで行き詰まってしまうことになる。しかし、仮説としての理念は、継続的に検証されなければならないものである。すなわち、仮説としての理念は、それが正確に定式化されるための必要条件なのである。

第二に、理念や仮説は、それらが実施されたときに生ずる結果によって、検証されるものである。この事実は、行為の結果は注意深く、しかも識別できるように観察されなければならないことを意味する。結果として生じたものを観察することによって抑制されない活動は、一時的には享受されるだろう。しかし、そのような活動は、知的にはどこにも導かれないであろう。その活動は、それが生じた状況についての知識を提供しないし、またその理念を明確化し、それを拡大するよう導くようなことはしないのである。

第三に、実験的方法のなかに表示されている知性の方法は、理念、活動、観察された結果の軌道を保持することを求めている。軌道を保持するということは、反省的再調査や総括の問題でもある。そこには、発達している経験の意義深い特徴である識別と記憶の両方が、存在しているのである。反省するということは、実施されたことを回顧することである。そのことは、更なる経験を取り扱う知性にとっての資本が蓄積されるという、真の意味を引き出すためにおこなわれるものである。また、この反省こそ、経験の知的組織化の精髄であり、訓練された精神の真髄でもある。

私はこれまで一般的で、またしばしば抽象的な言葉で述べることを余儀なくされてきた。しかし、これまで話してきたことは、経験が教育的なものであるためには、その経験は、教材つまり事実や知識や理念についての教材の世界を拡大していくよう、それを先頭に立って導いていかなければならない。教育的な経験は、このような要請と本来的に結びついているものである。こういった条件は、教育者が、教えることと学ぶこととは経験の再構成の連続的な過程である、とみなすことによってのみ満たされるのである。この条件は、ひるがえって、教育者がこれから先の長い見通しをもち、現在の経験すべてを将来の経験に有力な影響を及ぼす動力である、とみなすことによってのみ満たされうるのである。私が科学的な方法を強調してきたことは、おそらく誤りであろう、ということには気づいている。というのは、科学的な方法は、専門家によっておこなわれるような実験室的研究の専門的技術だけがひたすら要求される、という結果になりかねないからである。しかし、科学的な方法が強調されてきたことの意味は、専門的な技術とはほとんど関係がない。そのことは、科学的な方法がわれわれが生活している世界での日常経験の意味を突き止めるための、唯一の確かな真の手段であることを意味する。そのことはまた、科学的な方法が、経験がいつも前方に向かって、また外部に向かって導かれるために、その経験が使用される条件や方法という作業様式を提供することを意味する。その科学的な方法をさまざまな成熟度をもつ個々人に適用するとなると、教育者にとって、一つの問題が投げかけられることになる。その問題に一貫する不変要素には、理念の形式、理念に基づく行動、結果をもたらす条件の観察、将来に使用される事実と理念の組織化などが含まれる。これら理念、活動、観察、組織化のいずれもは、六歳のものと十二歳または十八歳のものと同じものではないし、また成人の科学者と同じものではない。そのことは、言うまでもないことである。しかし、もし経験が、事実上、教育的であるというのであれば、経験のあらゆるレベルにおいて、経験の拡大的な発展がみられるのである。したがって、経験がどのようなレベルにあろうとも、われわれは経験のレベルが提供する型にしたがって活動するのか、そうでなければ、生きた動的な経験の発展と統制における知性の地位を無視するのか、いずれかを選択する以外に道はないのである。

第八章　経験――教育の手段と目的

これまで述べてきたことのなかで、私は学習者個人と社会との両方の目的を達成するための教育は、経験――それはいつでもある個人の実際の生活経験――に基礎づけられなければならないという原理を取り上げ、しかもその原理こそ堅実なものとみなしてきた。私はこの原理を受け入れるにさいしての議論もしなかったし、またそれを正当化するような企てもしなかった。教育における保守主義者も急進主義者も共々、全体としての現在の教育状況に対して、深刻な不満をいだいている。教育思想上二学派に分かれている知識人の間でも、少なくとも、このように不満をいだいている点では、大いに一致している。教育システムは、一方の途《みち》を進むか、あるいは他方の途を進んでいくのか、いずれにせよ、動いていかなければならない。すなわち、そのさい、前科学時代にみられたような知的・道徳的水準に後退するのか、それとも成長し拡大していく経験の可能性が展開されるなかで、科学的方法を大いに利用し前進するのかのいずれかに、教育システムは動いていかなければならないのである。私はただ、教育が後者の途を辿る場合には、十分に満たされなければならない条件の幾つかについて、指摘するよう努めてきたにすぎない。

通常の経験に内在する可能性が、知的に指導され開発されるものとして、教育が取り扱われたとき、私は教育の可能性について非常に信頼しているので、ここで改めて私は他の路線を批判する必要を気にすることもなく、また経験を擁護する路線に従って議論をすすめるつもりもない。この経験の途をとるとなると、失敗するのではと予想されるが、その唯一の根拠は、私の思うに、経験と実験的方法とが適切・十分に考慮されないという危険な状況にある。経験が知的に発達しているか、知的に導かれているかを検証することに従属するよう、経験を自制させることほど、この世の中で厳しい訓練はない。したがって、一段と新しい教育の標準、目的、方法に対する反動が、一時的にせよ、起こるが、その唯一の理由は、私の考えでは、うわべではそれら新教育の標準、目的、方法を公然と採用した教育者は、いざそれらを実践する段になると、誠実に対応することができず、失敗に終わったという点にある。私が一度ならずも強調してきたように、新教育への途は、旧教育の途を歩むよりは、決して安易なものではなく、一段と奮起を要する困難な途である。新しい教育への途は、それが多数派になるまでは、その支持者たちの側での、長期にわたる真摯な協同作業が求められるであろう。私はそう信じるのだが、新しい教育の将来に付きまとう最大の危険は、その新しい教育の理念に従っていくのが、安易な途だという考え方である。すなわち、その進路は、準備なしの間に合わせのやり方ではないにしても、少なくとも、ほとんど日ごとにあるいは週ごとに即席的なやり方で決められると言われるほど安易な考え方である。このような理由から、私は新教育の原理を称賛するようなことはしないで、その代わりに、もし当然新教育に属した場合での成功した道程を辿るとすれば、そこに果たさなければならない一定の条件を示すに留めたのである。

私はこれまでに、「進歩主義的な」また「新しい」教育という言葉を優先して頻繁に使ってきた。しかしながら、基本的な論点は、新しい教育対旧《ふる》い教育、伝統的教育に反対する進歩主義的教育という対立にあるのではない。それがどのようなものであろうとも、問題は「教育」の名に値するものは何であるかという点にある。このような私の確固とした信念を記録に留めないで、本書の論述を終えるわけにはいかない。どのような方法や目的にしろ、それらに進歩主義的という名称が適用されているからといっただけの理由で、それらのいかなる方法にも目的にも味方するものではない。この点こそが、私の願いであり信念である。問題の根本は、接頭辞としての限定的な形容詞のつかない教育の本質に関する問題である。純粋で簡潔なものであることこそ、われわれが願い必要とする教育である。そして、教育とはまさに何であるかについて、また教育が名目やスローガンではなく、実在するものでありうるためには、いかなる条件が満たされなければならないのか、われわれがその条件を献身的に見つけ出すよう努めるとき、より確かで一段と速やかな進歩が得られるにちがいない。このような理由によってのみ、私は健全な経験の哲学が必要であることを強調してきたのである。

訳者あとがき

この本は、デューイ（John Dewey, 1859〜1952）の原著（*Experience and Education*, The Macmillan Company, 1938）からの日本語訳である。

本書では、経験に基づく教育の実践理論の哲学的考察がなされている。この種の経験主義教育理論の考察は、デューイ自身の諸論考のなかではもとより、他の類書の追従を許さない第一級の論考である。

――経験一元論の先見性――

おそらく今日なお、ある一定の「主義」や特定の「イデオロギー」だけにこだわり、それらの論理に忠実な一般理論こそ、教育にとっての実践理論にも妥当するなどと、主張するような人はまずいないであろう。

　ところで、デューイによる経験の再構成理論は、一方的な「主義」を超えて、子ども自身の日常経験を動機として、しかもその経験は、より高次な社会目的にまで発展させることができるという論理によって構築されている。すなわち、その理論は、子どもの個人的経験の知的・道徳的発展をとおして、個人的価値と社会的価値との調停をはかることができ、しかも子ども自身の経験の反省的思考による再構成をとおして、より高次な創造的知性が一元論的に生成されるという理論である。デューイは、子ども個人の精神と身体とを分離し対立させてきた伝統的な教育理論に強く反対し、子どもを精神と身体とが一元化された中間者としての経験主体として、位置づけた。このような主体としての経験の再構成理論は、過去百年余にわたり、幾多の反動的な批判に耐え、再生を繰り返しながら、今日なお教育改革の有力な実践理論としての有効性を失っていない。

　とくに一九〇〇年代に入るや、プラグマティズム・ルネッサンスが提唱され、デューイ再評価の気運は着実に高まり、今日に及んでいる。今日のデューイ再評価に共通する解釈は、デューイ哲学では、特定のイデオロギーに支配された「主義」

により、先験的に固定された「基礎づけ」論をまったく寄せつけないプラグマティズムに基づく実験主義的な実践理論に対するものである。少なくとも訳者は、そのように解釈している。デューイによる経験の再構成としての教育実践理論では、伝統的な教育の目的や方法を「基礎づけてきた」普遍的な理念や知識や技術とは訣別し、子どもの経験がその理論構成の中核を占めるところに特徴がみられる。基礎づけ論に頼らないデューイの教育実践理論のなかに、われわれははかりしれない子どもの発達可能性の論理を看取することができる。

デューイは、このような「論理を看取し把握すること」を、特に教育現場の教師に求めている。しかも、教師が教科の指導に当たって、すでに基礎づけられた知識や方法に従うやり方より、生徒の経験のなかに教材を発見することのほうが、どんなにか困難な問題であるか、デューイは繰り返し指摘している。同時に、その「困難な問題」を解決する実行可能な方途が示唆されているが、その論理を辿り理解することに知的努力が求められることも示唆されている。そのような知的努力もまた、われわれ教育現場の教師に求められているのである。

生徒の経験を起点としまた帰着点として重視するデューイの経験主義教育理論では、教師の指導力は論理的には生徒の主体的な経験学習にそぐわないものとして問われない、という誤解を生む。ところが、デューイはこのような安易な誤解を、本書においても厳しく非難している。そのうえ、デューイは生徒の経験と教材とを一元的に結合する理論展開のプロセスに、教師の指導者としての地位を十分に保全する論理を展開しているのである。生徒の主体的な教育的経験は、教師の積極的な指導なくしては成り立たないというデューイならではの教育実践へのメッセージである。このようなメッセージは、本書のいずれの箇所を拾い読みしても、リアルに伝わってくるであろう。このような警醒とも言うべきデューイのメッセージの意義を、ここに改めて指摘しないわけにはいかない。というのは、もしデューイの「経験」概念を、児童中心の放任主義に傾斜する観念にすぎないものと曲解するような教育（学）者がいるとすれば、前述したようなデューイのメッセージを、本書から読み取ってほしいと願うからである。

デューイ自身、本書の書きはじめから一貫して力説しているように、進歩主義的教育でなければ伝統主義的教育であるのか、つまりデューイの用語では「あれかこれか」の二者択一的な「主義」が先行する教育理論や教育哲学の不毛さを、厳しく論難しているのである。

近年、教育関係論では、「教師―生徒」という二項対置の構造で捉えられてきた形成論的な理論を超えて、第三者としての中間者（項）の領域から捉え直す傾向が顕著になってきた。すでに取り上げたデューイの教材の組織化論、経験の再構成論、相互作用（相互浸透）論にみられる非二元論的な経験概念は、まぎれもなく中間者という構造概念を先取りしていた、ということができる。それも百年余も前にである。

このような中間者としての構造をもつデューイの経験の再構成論や相互作用論は、それ自体が生成論的なものである。経験とりわけ体験は、他者（おとなや教師）によって形成されるものではなく、基本的には生成されるものである。中間者を認識するうえで、「かかわり（関係）」という構造の生成することについて、的確な言説がある。「構造とはかかわりにおいて生成するという考え方である。認識もまたかかわりの一形態にほかならない。さまざまなかかわりにおいてさまざまの構造が生成し、構造の構造が生成するが、かかわり（人間のかかわりのみを意味するのではない）をはなれた究極的な構造があるわけではない」（市川浩『〈中間者〉の哲学』岩波書店、一九九〇年）と。

――教材としての経験の組織化――

デューイの教育哲学の理論は、端的に言って、デューイ哲学の本来的特徴である実験主義と深くかかわっている。生徒の日常の生活経験は、実験室にみられるような科学的な方法を適用することによって、より知的で道徳的で、しかも生徒自身が将来を展望することができるような教育の目的へと発展させられなければならない。このような経験の発展論理が、本書の至るところで展開されているが、そのことこそが、デューイの言う経験の教育的な意味を示しているのである。その意味は具体的には、教科と教材の源泉が、生徒の経験に求められるというのである。そのことの妥当性が、デューイによって入念に説得されているのであるが、その論理は一見、単純なもののようではあるが、決してそうではない。しかしながら、一見難解ではとの先入見を誘うのは、デューイの文体と無縁ではないように思われる。一文を構成するのに条件節が数多く挿入されているため、これらの脈絡を読みとることをむずかしくしているきらいは否めない。このようにデューイ独特の叙述様式もまた、本来分析的であるよりは総合的な経験論者デューイの面目を施しているのではないだろうか。このような見方も、あながち的を射ていないとは言えないであろう。このことはまた、哲学者デューイが立論にさいして、極力例外の入り込む余地を残さないよう、しかも経験の日常的生活レベルからの例証を数多く用いても、その傍証に例外をつくらないよう、思考の総合化に向けて緻密な思考上の配慮をしたことの証《あかし》であるにちがいない。

以上のようにデューイ理解をしてくると、本書でのデューイの「経験と教育」の一元論の立論に一歩でも近づくよう、本書を味読し、了解する（理解するというよりは把握する）こともまた、デューイに学び、特にデューイの教育実践理論の恩恵に浴するわれわれ教師や研究者に課せられた役割のように思われてならない。

ところで、デューイによる「教材としての経験の組織化」の理論は、どのように説明されているのだろうか。デューイは、教材を教師によって作成された指導案に固有のものであるとはみなしていない。本書『経験と教育』において、教材と経験（活動）との「かかわり」の微妙な構造がつぎのように説明される。「教育者は、生徒個人を社会組織――そのなかで個人すべてがなんらかの貢献をする機会をもち、またすべての個人が参加する活動それ自体のなかで必要とされる統制の主要な運び手となるような組織――に役立たせるような活動を選び取ることができるようにする教材についての知識に責任をもっているのである」と。

デューイが問題にした伝統的学校では、教材から得られる知識それ自体が、生徒の学力を左右したのであった。ところが、デューイが力説した教材は、一般に承認されてきた学力よりは、はるかに大きく大切な能力の育成にかかわっていたのである。その大いなる能力とは、クラスにおいても、地域社会においても等しくはたらく社会的・道徳的な「協同する能力」であり、それを保障する自己限定（自己規制）の能力にほかならない。

いま改めて、あえてデューイに、学校で育成されるべき学力とは何かと問うならば、おそらくデューイは、なんらためらうことなく「問題を見つけ出し、問題を解決する創造的な能力である」と応えるにちがいない。その能力は、現行の総合的学習が求める「知の総合化」に対応する能力である。総合化が求められる「知」には社会的・道徳的な知（理性）が含まれていることはいうまでもない。

――総合的学習の哲学――

私は繰り返し言うようではあるが、特に学校教育の教師には、本書をぜひとも味読していただきたいと願わずにはいられない。というのは、本書はおそらく、現行の総合的学習の唯一の哲学的理論書であるからである。なるほど確かに、現場の教師は、総合的学習の方法や技法についての教師の指導的な参考書を、どれほど多く手にされてきたことか、想像に難くない。ところが、これまで総合的学習の本格的な哲学・理論書は、ほとんどなかったように思われる。いま求められている総合的学習の理論が、少なくともその理論の核心部分に、生徒自身の体験的・経験的知識が求められ、それらが意味づけられる必要がないというのであれば、話は別である。わが国の教育現況は決してそうではないだけに、また、日本語で読める総合的学習の原理的・哲学的な関係書が皆無ではないかとさえ思われる現状において、なおさら本書でのデューイの主張、とりわけ「教材としての経験の組織化」の原理について、現場の教師はぜひとも耳を傾けていただきたい。もちろん、このようなデューイの理論的主張に対する反論や批判は、許されてしかるべきであることは言うまでもない。しかし、批判は対案をもってこそ、建設的になるものであり、その批判による経験の再構築が可能であれば、それこそデューイの望むところであろう。

――「新」教育から「真」の教育へ――

「教材としての経験」の知的・道徳的な組織化の原理はまた、総合的学習の理論への適用が期待されるだけに留まるものではない。デューイは、本書で、進歩主義的な「新」教育での経験の再構成論による教育的効用を積極的に説いているが、実はそれ以上に、当時およびその後の未来、すなわち今日および将来の学校教育の「真」のあり方に、はかりしれない展望と教育目的と方法についての示唆を与えているのである。今日なお、学校教師や教育研究者が、子どもの経験をおとなの経験や文化遺産に対置させ、それらの知的組成の優劣を競わせるような、相変わらずの低次元の言動をとるようでは、そのような教師や研究者に対してこそ、本書をまず第一におすすめしたい。

本書には、子どもの日常の生活経験のもつ高次な教育的意味が、例外をはさむ余地なく入念に論究されている。したがって、本書での論述は単純のようにみえて、実は奥ゆきが深い。それはまた、実験主義的経験論の奥義に迫る教育の実践理論書であることを物語っている。それゆえ、おそらく今日の学力低下論者といえども、本書をとおして、真に生きた高次の知識が、どんなにか生徒自身の体験や経験が学校で教材として組織化されることと無縁ではないことに、論理的にはもとより、実践論的にも気づかれるにちがいない。というのは、二〇〇二年度から新学習指導要領のもと、「総合的学習」領域の新設に反対してきた学力低下論者が、つぎのように述べていることに着目し期待するからである。「もし主要教科の時間を削らずに『総合的な学習の時間』を設けて、それをうまく活用することができるなら、今後の教育に新しい風を呼び起こす可能性を秘めています」（『学力低下と新指導要領』岩波ブックレット、No.五三八、二〇〇一年六月）。学力低下論が経験の貧困論と無縁ではないとされるならなおさら、学力の低下論者にもまた、本書を「新しい風」のための教育実践論を構築する視点から味読していただければと願う。

もちろん、本書から得られる教育実践の理論への示唆は、学校教師に対してだけに与えられるものではない。教育と教育学の研究者、広く社会の教育に携わる教育関係者、そして子どもの親たちにも、同等の示唆が与えられるにちがいない。また、反デューイの立場をとる人たちも、本書を味読されるなら、少なからずなんらかの新しい示唆（例えば、デューイは伝統的な教科や教材を全面的に否定するどころか、経験概念の主要な構成要素として、積極的に新〔真〕教育理論に取り入れ、それを高く評価している事実など）が得られるのではないだろうか。私はこのようなことを密かに期待している。

以上のような理由から、私は本書が多くの教育関係者に読まれることを願うものであるが、他方、この訳書が、デューイが原著で言わんとしたことに、どれほど忠実に近づくことができたかという自問には、いささか心許ない。読者の寛容なご批判をお願いしたい。なお、この日本語訳にさいしては、訳者がかつて指導を受けた原田實先生による先訳と河村望氏の訳書を参考にさせていただいた。そのことを謝意を込めて、ここに付記する。

この訳書が講談社学術文庫に加えられたことにより、読者の範囲が教育研究者から広く現場の教師や教育関係者に及ぶことになるであろう。このような期待もまた、訳者にとっての本書日本語訳の動機でもあり、願いでもあった。この願いを実現するため、常日頃支援くださった学術文庫当局、特にその編集部担当部長福田信宏氏はじめ関係スタッフに対して、心からの謝意を述べたい。

平成十六年初夏

市村尚久

KODANSHA

ジョン・デューイ（John Dewey. 1859 ~ 1952）
アメリカを代表する哲学者，教育思想家。「哲学は教育の一般的理論である」とする教育の実践的立場から，プラグマティズムの実験主義哲学により進歩主義教育の理論的な基礎づけをした。多数の著作があるが，主著に本書のほか，『民主主義と教育』がある。

市村　尚久（いちむら　たかひさ）
1933年，兵庫県に生まれる。早稲田大学大学院文学研究科教育学専攻博士課程修了。文学博士。早稲田大学名誉教授。主著に，『アメリカ六・三制の成立過程』，『エマソンとその時代』，訳書に『学校と社会・子どもとカリキュラム』（講談社学術文庫）などがある。

講談社学術文庫

定価はカバーに表示してあります。

経験《けいけん》と教育《きょういく》

J. デューイ／市村尚久《いちむらたかひさ》 訳

2004年10月10日　第1刷発行
2024年9月18日　第31刷発行

発行者　森田浩章
発行所　株式会社講談社
　　東京都文京区音羽 2-12-21 〒112-8001
　　電話　編集（03）5395-3512
　　　　　販売（03）5395-5817
　　　　　業務（03）5395-3615
装　幀　蟹江征治／山岸義明
印　刷　株式会社広済堂ネクスト
製　本　株式会社国宝社

ISBN4-06-159680-2

「講談社学術文庫」の刊行に当たって

これは、学術をポケットに入れることをモットーとして生まれた文庫である。学術は少年の心を養い、成年の心を満たす。その学術がポケットにはいる形で、万人のものになることは、生涯教育をうたう現代の理想である。

こうした考え方は、学術を巨大な城のように見る世間の常識に反するかもしれない。また、一部の人たちからは、学術の権威をおとすものと非難されるかもしれない。しかし、それはいずれも学術の新しい在り方を解しないものといわざるをえない。

学術は、まず魔術への挑戦から始まった。やがて、いわゆる常識をつぎつぎに改めていった。学術の権威は、幾百年、幾千年にわたる、苦しい戦いの成果である。こうしてきずきあげられた城が、一見して近づきがたいものにうつるのは、そのためである。しかし、学術の権威を、その形の上だけで判断してはならない。その生成のあとをかえりみれば、その根は常に人々の生活の中にあった。学術が大きな力たりうるのはそのためであって、生活をはなれた学術は、どこにもない。

開かれた社会といわれる現代にとって、これはまったく自明である。生活と学術との間に、もし距離があるとすれば、何をおいてもこれを埋めねばならない。もしこの距離が形の上の迷信からきているとすれば、その迷信をうち破らねばならぬ。

学術文庫は、内外の迷信を打破し、学術のために新しい天地をひらく意図をもって生まれた。文庫という小さい形と、学術という壮大な城とが、完全に両立するためには、なおいくらかの時を必要とするであろう。しかし、学術をポケットにした社会が、人間の生活にとってより豊かな社会であることは、たしかである。そうした社会の実現のために、文庫の世界に新しいジャンルを加えることができれば幸いである。

一九七六年六月

野間省一

人生・教育

253
村井　実全訳・解説
アメリカ教育使節団報告書

戦後日本に民主主義を導入した決定的文献。臣民教育を否定し、戦後の我が国の民主主義教育を創出した不朽の原典。本書は、「戦後」を考え、今日の教育問題を考える際の第一級の現代史資料である。

271
夏目漱石著（解説・瀬沼茂樹）
私の個人主義

文豪夏目漱石の、独創的で魅力あふれる講演集。漱石の根本思想である近代個人主義の考え方を述べた表題作を始め、先見の明に満ちた『現代日本の開化』他、『道楽と職業』『中味と形式』『文芸と道徳』を収める。

274～277
佐藤一斎著／川上正光全訳注
言志四録《げんししろく》（一）～（四）

江戸時代後期の林家の儒者、佐藤一斎の語録集。変革期における人間の生き方に関する問題意識で貫かれた本書は、今日なお、精神修養の糧として、また処世の心得として得難き書と言えよう。（全四巻）

442・443
吉田松陰《しょういん》著／近藤啓吾全訳注
講孟劄記《こうもうさっき》（上）（下）

本書は、下田渡海の挙に失敗した松陰が、幽囚の生活の中にあって同囚らに講義した『孟子』各章に対する彼自身の批判感想の筆録で、その片言隻句のうちに、変革者松陰の激烈な熱情が畳み込まれている。

451
宇野哲人《うのてつと》著（序文・宇野精一）
論語新釈

「宇宙第一の書」といわれる『論語』は、人生の知恵を滋味深く語ったイデオロギーに左右されない不滅の古典として、今なお光芒を放つ。本書は、中国哲学の権威が詳述した、近代注釈の先駆書である。

493
下村湖人《こじん》著（解説・永杉喜輔）
論語物語

『論語』を心の書として、物語に構成した書。人間味あふれる孔子と弟子たちが現代に躍り出す光景が、みずみずしい現代語で描かれている。『次郎物語』の著者の筆による、親しみやすい評判の名著である。

人生・教育

595
中庸《ちゅうよう》
宇野哲人全訳注（解説・宇野精一）

人間の本性は天が授けたもので、それを〝誠〟で表し、「誠とは天の道なり、これを誠にするのは人の道なり」という倫理道徳の主眼を、首尾一貫、渾然たる哲学体系にまで高め得た、儒教第一の経典の注釈書。

735
五輪書
宮本武蔵著／鎌田茂雄全訳注

一切の甘えを切り捨て、ひたすら剣に生きた二天一流の達人宮本武蔵。彼の遺した『五輪書』は、時代を超えて我々に真の生き方を教える。絶対不敗の武芸者武蔵の兵法の奥儀と人生観を原文をもとに平易に解説。 電 P

742
菜根譚《さいこんたん》
洪自誠《こうじせい》著／中村璋八・石川力山訳注

儒仏道の三教を修めた洪自誠の人生指南の書。菜根とは粗末な食事のこと。そういう逆境に耐えてこそこの世を生きぬく真の意味がある。人生の円熟した境地、老獪極まりない処世の極意などを縦横に説く。

852
平生《へいぜい》の心がけ
小泉信三著（解説・阿川弘之）

慶応義塾塾長を務め、「小泉先生」と誰からも敬愛された著者の平明にして力強い人生論。「知識と智慧」など日常の心支度を説いたものを始め、実際有用の助言に富む。一代の碩学が説く味わい深い人生の心得集。

935
孔子
金谷　治著

人としての生き方を説いた孔子の教えと実践。二千年の歳月を超えて、今なお現代人の心に訴える孔子の魅力とは何か。多年の研究の成果をもとに、聖人ではない人間孔子の言行と思想を鮮明に描いた最良の書。

985
知的生活
P・G・ハマトン著／渡部昇一・下谷和幸訳

生き生きとものを考える喜びを説く人生哲学。時間の使い方・金銭への対し方から読書法・交際法まで自己を磨き有用の人物となるための心得万般を伝授。学識だけでない全人間的な徳の獲得を奨める知的探求の書。

《講談社学術文庫　既刊より》

人生・教育

1357

学校と社会・子どもとカリキュラム

ジョン・デューイ著／市村尚久訳

デューイの教育思想と理論の核心を論じる。学校を小型の共同社会と捉え、子どもの主体性と生活経験の大切さを力説する名論考。シカゴ実験室学校の教育成果から各教科の実践理論と学校の理想像を提示する。

1565

吉田松陰　留魂録

古川　薫全訳注

大文字版

死を覚悟して執筆した松陰の遺書を読み解く。志高く維新を先駆した思想家、吉田松陰。安政の大獄に連座し、牢獄で執筆された『留魂録』。松陰の愛弟子に対する最後の訓戒で、格調高い遺書文学の傑作の全訳注。

1676

孟子

貝塚茂樹著

孟母三遷で名高い孟子の生涯と思想の真髄。戦国七雄が対立した前四世紀、小国鄒《すう》に生まれ諸国を巡って仁政を説いた孟子。井田制など理想国家の構想や、あるべき君子像の提言を碩学が平易に解説する。

1680

経験と教育

ジョン・デューイ著／市村尚久訳

大文字版

デューイの教育哲学を凝縮した必読の名著。子どもの才能と個性を切り拓く教育とはどのようなものか。子ども自身の経験を大切にし、能動的成長を促す教育理論を構築。生きた学力をめざす総合学習の導きの書。

電P

1692

呂氏春秋

町田三郎著

秦の宰相、呂不韋《りょふい》が作らせた人事教訓の書。始皇帝の宰相、呂不韋と賓客三千人が編集した『呂氏春秋』は天地万物古今の事を備えた大作。天道と自然に従い人間行動を指示した内容は中国の英知を今日に伝える。

電P

1824

孝経

加地伸行全訳注

大文字版

この小篇は単に親孝行を説く道徳書ではない。中国人の死生観・世界観が凝縮されている。『女孝経』「法然上人母へのことば」など中国と日本の資料も併せ、精神的紐帯としての家族を重視する人間観を分析する。

ことば・考える・書く

658
牧村史陽《しよう》編
大阪ことば事典
最も大阪的な言葉六千四百語を網羅し、アクセント、語源、豊富な用例を示すとともに、言葉の微妙なニュアンスまで詳しく解説した定評ある事典。巻末に項目検出索引、大阪のしゃれことば一覧を付した。

1029
佐藤信夫著（解説・佐々木健一）
レトリック感覚
日本人の言語感覚に不足するユーモアと独創性を豊かにするために、言葉の〈あや〉とも呼ばれるレトリックに新しい光をあてる。日本人の立場で修辞学を再検討して、発見的思考への視点をひらく画期的論考。
電P

1043
佐藤信夫著（解説・池上嘉彦）
レトリック認識
古来、心に残る名文句は、特異な表現である場合が多い。黙説、転喩、逆説、反語、暗示など、言葉のあやの多彩な領域を具体例によって検討し、独創的な思考のための言語メカニズムの可能性を探る注目の書。
電P

1073
B・L・ウォーフ著／池上嘉彦訳
言語・思考・現実
言葉の違いは物の見方そのものに影響することを実証し、現代の文化記号論を唱導したウォーフの主要論文を精選。「サピア＝ウォーフの仮説」として知られる言語と文化について鋭い問題提起をした先駆的名著。

1098
佐藤信夫著（解説・佐々木健一）
レトリックの記号論
記号論としてのレトリック・メカニズムとは。我々を囲む文化は巨大な記号の体系に他ならない。微妙な言語現象を分析・解読するレトリックの認識こそ、記号論の最も重要な主題であることを具体的に説いた好著。
電P

1268
菊地康人著
敬語
日本語の急所、敬語の仕組みと使い方を詳述。尊敬語・謙譲語・丁寧語など、日本語ほど敬語が高度に発達している言語はない。敬語の体系を平明に解説し、豊富な用例でその適切な使い方を説く現代人必携の書。

《講談社学術文庫　既刊より》

ことば・考える・書く

1299
本を読む本
M・J・アドラー、C・V・ドーレン著／外山滋比古・槇未知子訳

知的かつ実際的な読書の技術を平易に解説。読書の本来の意味を考え、読者のレベルに応じたさまざまな読書の技術を紹介し、読者を積極的な読書へと導く。世界各国で半世紀にわたって読みつがれてきた好著。

1941
いろはうた　日本語史へのいざない
小松英雄著（解説・石川九楊）

千年以上も言語文化史の中核であった「いろはうた」に秘められた日本語の歴史と、そこに見えてくる現代語表記の問題点。言語をめぐる知的な営為のあり方を探り、従来の国文法を超克した日本語の姿を描く一冊。電P

1984
敬語再入門
菊地康人著

現代社会で、豊かな言語活動と円滑な人間関係の構築に不可欠な、敬語を使いこなすコツとは何か？　豊富な実例に則した百項目のQ＆A方式で、敬語の疑問点を解説。敬語研究の第一人者による実践的敬語入門。電P

2050
蕎麦の事典
新島　繁著（解説・片山虎之介）

故・司馬遼太郎が「よき江戸時代人の末裔」と賞賛した市井の研究者によって体系化された膨大な知見。蕎麦の歴史、調理法、栄養、習俗、諺、隠語、方言――あらゆる資料を博捜し、探求した決定版〈読む事典〉。電P

2163
四字熟語・成句辞典
竹田　晃著

見出し項目約四五〇〇、総索引項目約七〇〇〇を誇る本格派辞典。「感情表現」「リーダーシップ」「人をほめる」など、時に応じてぴったりの言葉に出会えるガイドも充実。人生の知恵がきらめく豊かな表現の宝庫。電P

2180
関西弁講義
山下好孝著

読んで話せる関西弁教科書。強弱ではなく高低のアクセント（≒声調）を導入してその発音法則を見出し、文法構造によるイントネーションの変化など、標準語とは異なる独自の体系を解明する。めっちゃ科学的。電P

ことば・考える・書く

2299
平田オリザ著（解説・高橋源一郎）
対話のレッスン 日本人のためのコミュニケーション術
異なる価値観の相手と、いかにコミュニケーションを図るか。これからの私たちに向けて、演説・スピーチ・説得・対話から会話まで、話し言葉の多様な世界を指し示す。人間関係を構築するための新しい日本語論。
電P

2391
倉嶋　厚監修／岡田憲治・原田　稔・宇田川眞人著
風と雲のことば辞典
『雨のことば辞典』の姉妹篇。気象現象のほか比喩表現、ことわざ、季語から漢詩、詩歌、歌謡曲に至るまで、「風」と「雲」にまつわる表現を豊富な引用で伝える。日本の空には、こんなにも多彩な表情がある！
電P

2439
長田順行著
暗号大全 原理とその世界
時代や社会の変化とともに発展、進化し、数千年におよぶ人類の叡智がこめられている暗号。さまざまな暗号の原理と実際、そして歴史的変遷を平易に解説した、情報化時代に必読の〈日本暗号学〉不朽の古典！
電P

2445
田中克彦著
言語学者が語る漢字文明論
漢字は言葉ではない、記号である。漢字にオトは必要ない。どの言語でも漢字を「訓読み」できる。周辺地域の文化は漢字をどのように取れ入れたのか。また、日本語にとって漢字とはいったい何なのか。
電P

2504
ルートヴィヒ・ヴィトゲンシュタイン著／丘沢静也・荻原耕平訳
小学生のための正書法辞典
ヴィトゲンシュタインが生前に刊行した著書は、たったの二冊。一冊は『論理哲学論考』、そして教員生活を送っていた一九二六年に書かれた本書である。長らく未訳のままだった幻の書、ついに全訳が完成。
電P

2545
倉嶋　厚監修／宇田川眞人編著
花のことば辞典 四季を愉しむ
古来、人々は暮らしの中の喜びや悲しみを花に託して神話や伝説、詩歌にし、語り継いできた。その逸話の数々を一〇四一の花のことばとともに蒐集。四季折々の花模様と心模様を読む！　学術文庫版書き下ろし。
電P

自然科学

1
今西錦司著（解説・小原秀雄）
進化とはなにか
正統派進化論への疑義を唱える著者は名著『生物の世界』以来、豊富な踏査探検と卓抜な理論構成とで、〝今西進化論〟を構築してきた。ここにはダーウィン進化論を凌駕する今西進化論の基底が示されている。

31
朝永《ともなが》振一郎《しんいちろう》著（解説・伊藤大介）
鏡の中の物理学
〝鏡のなかの世界と現実の世界との関係は……〟この身近な現象が高遠な自然法則を解くカギになる。科学と量子力学の基礎を、ノーベル賞に輝く著者が一般読者のために平易な言葉とユーモアをもって語る。

94
湯川秀樹著（解説・片山泰久）
目に見えないもの
初版以来、科学を志す多くの若者の心を捉えた名著。自然科学的なものの見方、考え方を誰にもわかる平易な言葉で語る珠玉の小品。真実を求めての終りなき旅に立った著者の研ぎ澄まされた知性が光る。

195
湯川秀樹著
物理講義
ニュートンから現代素粒子論までの物理学の展開を、歴史上の天才たちの人間性にまで触れながら興味深く語った名講義の全録。また、博士自身が学生時代の勉強法を随所で語るなど、若い人々の必読の書。

320
W・B・キャノン著／舘　鄰・舘　澄江訳（解説・舘　鄰）
からだの知恵
この不思議なはたらき
生物のからだは、つねに安定した状態を保つために、さまざまな自己調節機能を備えている。本書は、これをひとつのシステムとしてとらえ、ホメオステーシスという概念をはじめて樹立した画期的な名著。

529
牧野富太郎著（解説・伊藤　洋）
植物知識
本書は、植物学の世界的権威が、スミレやユリなどの身近な花と果実二十二種に図を付して、平易に解説したもの。どの項目から読んでも植物に対する興味がわき、楽しみながら植物学の知識が得られる。

《講談社学術文庫　既刊より》

2098
生命の劇場
J・v・ユクスキュル著／入江重吉・寺井俊正訳

ダーウィニズムと機械論的自然観に覆われていた二〇世紀初頭、人間中心の世界観を退けて、著者が提唱した「環世界」とは何か。その後の動物行動学や哲学、生命論に影響を及ぼした、今も新鮮な生物学の古典。

電P

2131
ヒトはなぜ眠るのか
井上昌次郎著

進化の過程で睡眠は大きく変化した。肥大した脳は、ノンレム睡眠を要求する。睡眠はなぜ快いのか？　子供の快眠と老人の不眠、睡眠と冬眠の違い、短眠者と長眠者の謎……。最先端の脳科学で迫る睡眠学入門！

電P

2143
地形からみた歴史
古代景観を復原する
日下雅義著

「地震」「水害」「火山」「台風」……。自然と人間によって、大地は姿を変える。「津」「大溝」「池」……。『記紀』『万葉集』に登場する古日本の姿を、航空写真、地形図、遺跡、資料を突き合わせ、精確に復原する。

電P

2158
地下水と地形の科学
水文学入門
榧根　勇著

三次元空間を時間とともに変化する四次元現象である地下水流動を可視化する水文学。地下水の容器としての不均質で複雑な地形と地質を解明した地下水学は、環境問題にも取り組み、自然と人間の関係を探究する。

電P

2175
パラダイムと科学革命の歴史
中山　茂著

科学とは社会的現象である。ソフィストや諸子百家の時代から現代のデジタル化まで、科学史の第一人者による「学問の歴史」。新たなパラダイムが生まれ、科学者集団が学問的伝統を形成していく過程を解明。

電P

2187
「ものづくり」の科学史
世界を変えた《標準革命》
橋本毅彦著

「標準」を制するものが、「世界」を制する！　標準化は製造の一大革命であり、近代社会の基盤作りだった。A4、コンテナ、キーボード……。今なお進行中の人類最大のプロジェクト＝標準化のドラマを読む。

電P

宗教

531
キリスト教問答
内村鑑三著（解説・山本七平）
近代日本を代表するキリスト教思想家内村鑑三が、信仰と人生を語る名著。「来世は有るや無きや」などキリスト教の八つの基本問題に対して、はぎれよく簡明に答えるとともに、人生の指針を与えてくれる。

533
法句経《ほっくきょう》講義
友松圓諦著（解説・奈良康明）
原始仏教のみずみずしい感性を再興し、昭和の仏教改革運動の起点となった書。法句経の名を天下に知らしめるとともに、仏教の真の姿を提示した。混迷を深める現代日本の精神文化に力強い指針を与える書。

547
歎異抄《たんにしょう》講話
暁烏《あけがらす》 敏《はや》著（解説・松永伍一）
本書は、明治期まで秘義書とされた『歎異抄』をはじめて公衆に説き示し、その真価を広く一般に知らしめた画期的な書である。文章の解釈、さらに種々の角度からの解説により、『歎異抄』の真髄に迫る。

550
仏教聖典
友松圓諦著（解説・友松諦道）
釈尊の求道と布教の姿を、最古の仏典を素材にして格調高い文章で再現した仏教聖典の決定版。全日本仏教会の推薦を受け、広く各宗派にわたって支持され、全国にあまねくゆきわたった、人生の伴侶となる書。

555
八宗綱要《はっしゅうこうよう》 仏教を真によく知るための本
凝然大徳《ぎょうねんだいとく》著／鎌田茂雄全訳注
仏教の教理の基本構造を簡潔に説き明かした名著。凝然大徳の『八宗綱要』は今日なお仏教概論として最高のものといわれている。その原文に忠実に全注釈を加えた本書は、まさに初学者必携の書といえる。

639
沢木興道《さわきこうどう》聞き書き ある禅者の生涯
酒井得元《とくげん》著（解説・鎌田茂雄）
沢木興道老師の言葉には寸毫の虚飾もごまかしもない。ここには老師の清らかに、真実に、徹底して生きぬいた一人の禅者の珠玉の言葉がちりばめられている。近代における不世出の禅者、沢木老師の伝記。